비행소년

비행소년
飛行少年

신정근×Dg. Tarru

소설집

청색종이

그는 거기에 있었다.
지금은 거기에 없다.
그림자도 남기지 않았다.

그는 여기에 있다.
하지만,
존재한다고 말할 수 없다.

그때 거기에도 있었고,
지금 여기에도 있다.

돌아온 것일 수도,
돌아갈 수도 있다.

그에게 여행은 아직 끝나지 않은
방학숙제다.

차례

비행소년

신정근×Dg. Tarru 소설집

1부

출국

출국

이제 막 여행의 일정표를 받아든 사람은 어떤 기분일까. 목적지가 어디든 상관없이 그는 이미 커다란 용기와 더 큰 설렘, 아니 그보다 표현할 수 없는 두려움으로 가득 찬 사람이리라. 이제야 그는 끝이 정해지지 않은 육상트랙의 흰색 출발선 앞에 서 있다. 그의 머릿속에는 몇 날 며칠, 하루에도 수십 번, 수백 번씩 되뇌었던 여행의 동선이 한 치의 오차도 없이 뇌주름보다 더 복잡하게 그려져 있다. 하지만 모두 다 기억할 수는 없다. 여행의 출발은 그의 가슴에 새겨진 자유라는 이름으로 변환된 낭만의 주홍글씨로 덮여 있기 때문이다.

그렇다면 무엇을 해야 할까. 당장 짐을 꾸려야 한다. 어

떤 옷이 좋을까. 두툼한 긴소매가 나을까 아니면 바람이
잘 통하는 헐렁한 셔츠가 나을까. 어떤 모자가 어울릴까.
볕을 잘 막아주고 바람에 날리지 않을 만큼의 적당한 무
게와 크기로 머리에 꼭 맞는 것이라면 괜찮을 것이다. 신
발은 어떤 것으로 가져갈까. 걷기에 편한 스니커즈 운동화
와 깔끔한 무채색 단화 중 어느 것이 더 어울릴까. 여행지
에서 뜻하지 않게 캐주얼 파티에 초대받았을 때, 어울리는
진분홍색 구두는 어떨까. 바닷가를 거닐 생각이라면 발등
이 시원하게 드러나는 샌들은 필수아이템이다. 가방은 무
엇으로 가져갈까. 촉감이 부드러운 빈티지가방이 좋을까,
폴리카보네이트로 된 단단한 캐리어가 괜찮을까. 어느 쪽
이든 무슨 상관이랴. 이미 그는 최소한 자신에게 있어서
세상의 모든 행복이라고 말할 수 있는 비행기표를 손에 넣
었으니 말이다. 그가 가진 자유의 여정은 곧 나이고, 나의
그림자이며 동시에 당신이고, 당신의 전생 혹은 도플갱어
일지도 모르는 일이다.

아마도 여행의 본질, 즉 떠나고자 하는 것에 대한 진실
은 단순히 떠나는 것만이 목적이 아닐 수도 있다. 하지만
어떤 형태로든 삶은 변화할 수 있는 것이기에 사람마다 여
행의 이유가 다를지는 모르겠으나 그것이 스스로의 자유

와 행복을 위한 시간이라는 것에는 부정할 수 없으리라. 계획된 도피라고 치부 할지라도 희미하게나마 교집합이 형성되기 마련이다. 그래서 그의 발자국이 나와 당신의 그것과 크게 다르지 않다 하여도 놀라지 말길 바란다. 그가 그리던 자유가 우리의 그것과 비슷한 색으로 칠해져 있다 하여도 말이다. 말했다시피, 그것은 곧 나의 그림자이며 동시에 당신이고…….

첫

첫 번째 도시는 도쿄였다. 처음이라는 것은 언제나 떨림이라는 감정의 최전선에 있다. '첫', 그것은 역설적이게도 인생의 '처음'과 끝의 '처음'이다. 성서의 시작을 알리는 창세기 첫 마디보다 더 짜릿하며 인간의 희열을 느끼게 하는 첫 모유의 비린내와 방언과 같은 첫 옹알이, 할머니가 손주를 위해 손수 만든 첫 배냇저고리, 첫 걸음마와 놀이터에서 처음 사귄 친구, 첫 등교와 이성 짝꿍, 첫 여권과 첫 여행까지…….

삶에 있어서도 모든 순간이 처음이다. 아무도 먼저 전 생애를 연습해 본 사람은 없다. 여섯 살짜리 꼬마는 스무 살의 진흙탕을 모른다. 스무 살은 마흔 살의 암담함을 모

른다. 마흔 살은 죽음의 문턱보다 무서운, 일흔의 마른 고
독을 알기엔 너무나도 젊다. 여자로서, 남자로서, 아내로
서, 남편으로서, 자녀로서 우리는 모두 처음의 삶을 살고
있다. 어머니의 어머니, 아버지의 아버지 또한 처음이라는
무게를 견뎌낸 사람들이리라. 누구에게나 있을 법한 첫사
랑은 물론이고, '첫'이라는 음절로 시작하는 것은 아름다운
결과이든, 잔인한 시작이든 우리 인생과 여행의 기억 속에
사그라들지 않는 영원의 불씨로 남아 있게 된다.

　내가 처음 도쿄로 간다고 했을 때, 그곳을 경험해 본 사
람들은 서울과 다르지 않다고 했다. 쳇바퀴 돌 듯 꼭 닮은
대도시의 일상 그 자체이며, 서울에서처럼 지하철이 지옥
철로 한순간에 변하는 모습을 볼 수 있을 것이라고 했다.
물론 그들의 말은 거짓이 아니었다. 여행가이드북에도 그
런 것은 자세히 언급되어 있었다. 그리고 무언가를 수집하
고 그것에 빠져 사는 오타쿠들이 많다고 했다. 그 사람들
은 인형을 모으고 애니메이션에 나오는 등장인물들의 옷
을 똑같이 만들어서 입고 거리를 돌아다닌다고 했다.

　그들은 자신들의 행위와 좋아하는 어떤 것에 미쳐 있는
사람들이라고 했다. 사람들—*그러니까 한국에 있는 사람
이든, 일본에 있는 사람이든*—자신들이 구축한 사회의 담

장을 '정상'이라고 확신하는 모두가 오타쿠들의 행동을 가볍게 넘길 리 없었다. 그들의 시선에서 오타쿠는 사회의 이단아이자 반항아이며, 타인과 공존하기 어려운 존재로 정의해버렸다. 하지만 실제로 마주한 그들은 거리낌이 없었다. 아이처럼 순박했다. 주변의 어떤 눈치도 보지 않는 오타쿠들의 행동이 부러웠다. 그토록 뜨거운 마음으로 뭔가에 집중할 수 있다는 것. 그것이야말로 스스로가 살아 있다는 것에 대한 증거와 자기선택이 아닐까. 그들을 향해 '정신 나간 사람', '사회적 패배자', '나잇값 못하는 사람'들이라고 일갈하며 폄하하는 당신은 어떤 사람인가. 우리는 살면서 혼신을 다해 자신만의 불덩이를 들고 바깥을 뛰어다녀본 적이 있었던가. 사물이나 사회, 사람에 대하여 열정이라는 것을 주체적으로 주고받은 적이 몇 번이나 있었던가. 그래서 적어도 자신에게만큼은 당당한 오타쿠들의 삶을 존중한다.

도쿄로 가기 위해서 우선 구멍이 다른 플러그를 챙겨야 한다. 일상에서 핸드폰은 중요한 물건이다. 노트북과 때에 따라선 파워뱅크도 가져가야 한다. 낯선 도시에서 민첩하게 이동하며 호텔을 예약하거나 평이 좋은 맛집을 찾기 위해서는 현대식 전자기기의 도움은 필수적이고, 숙명적이다. 그러기 위해선 충전을 해야 하는데 알다시피 일본은 한국과 전압이 다르다. 그래서 다른 종류의 어댑터가 필요하다. 내가 만났던 외국인들, 제3세계의 아랍과 솔로몬제도에서 온 친구들은 한국인과 일본인이 비슷하다고 한다. 얼굴 생김새가 비슷하다고 말한다. 간혹 중국인까지도 끌어들여 한 민족으로 만들어버린다. 그들은 한국어와 일본어가 비슷한 언어라고 주장하기까지 한다. 심지어 누군가는 같은 언어를 쓰는 것이 아니었냐며 나의 면전에다 되묻기까지 한다. 나는 버럭 화를 내며 말했다.

"다르다!"

생각해 보라. 전기 콘센트의 모양이 한국은 동그랗고, 일본은 날씬한 십일자 모양이다. 하물며 사람들 각자의 얼굴 생김새는 또 얼마나 다르겠는가. 다를 수밖에 없다. 우리는 다른 흙 위에 서 있고, 다른 어머니의 뱃속에서 태어났다. 다른 말과 문법을 씀과 동시에 다른 방식으로 사고한다. 당연한 것을 그들은 왜 한국인과 일본인이 다를 바 없다고 할까. 어느 동유럽인은 중국인과도 비슷하다고 하니 화를 안 낼 수가 없다. 그래서 얼굴을 붉히며 빠르게 입술

을 열었다가 닫았다. 물론 그 정도로 예민할 필요는 없었
지만……. 우리도 러시아 말과 카자흐스탄 말이 비슷하게
들리니 같은 언어라고 혼돈하기 쉽다. 그런 상황과 빗대어
생각하니 그들의 입장을 이해 못 할 바는 아니다. 그러면
카자흐스탄 출신의 사비나(Savina)는 불같이 성을 낸다.

"다르다니까!"

나의 첫 공항은 나리타공항이었다. 하네다와 나리타는
도쿄의 대표적인 국제공항이다. 그 이름만으로도 여행자
들의 마음을 설레게 한다. 특히나 초보 중의 초보였던 나의
마음은 어떠했겠는가. 심장은 고백조차 하지 못했던 중학
교 시절 짝사랑을 만난 것처럼 팔딱팔딱 뛰기 시작했다. 그
런 묘사로는 충분치 않다. 놀이공원에서 청룡열차를 혼자
탄 느낌이라고 해야 할까. 달 표면을 걸었던 암스트롱의 격
정적인 첫걸음이라고 해야 할까. 속으로만 좋아하던 사람
의 결혼식에 하객으로 소환된 느낌이라면 어떨까. 나의 감
정은 그만큼 복합적이었다. 무엇에 분노한 사람처럼 혹은
해방의 기쁨을 맞이한 광복군의 심정처럼, 몸 안의 모든 세
포들이 마치 심하게 주체 못할 발정기에 들어선 수캐 같았

다. 야릇한 간장 냄새가 코끝을 스치고 지나갔다, 분명했다! 자정이 다 된 공항엔 사람이 거의 보이지 않았는데도 냄새가 났다. 기분 나쁜 냄새는 아니었다. 그래도 조선간장 냄새는 아니었다. 아무리 음식에 문외한이어도 그 정도는 구별할 줄 알았다. 우리의 김치 냄새처럼 그들도 나름의 '지울 수 없는' 냄새를 가지고 있을 테다. 그것은 곧 나와는 다른 '너'의 경계 그리고 보이지 않는 국경을 나누고 국적과 그 테두리 안의 사람들을 보기 좋게 분류한다.

도쿄사람들에게 나는 어떤 냄새로 기억될까.

연착

"포끄서르로 연차—끄되오니 자므시만 기다려주시기 바라므니다."

그녀의 목소리가 기내의 어수선한 침묵을 깼다. 옆에 앉은 남자는 대수롭지 않게 신문을 읽고 있었다. 일본어로 된 신문이었다. 아사히신문이었는지, 마이니치신문이었는지 기억나지 않는다. 당연히 어떤 내용인지도 모른다. 나는 일본어를 읽을 줄 모르는 까막눈이다. 그는 풍채가 적

18

당한 중년이었다. 과감한 가죽점퍼를 입고 있었다. 그래도 점퍼의 두께는 중년의 뱃살을 숨기기엔 부족했다. 보기에 세련되지도 그렇다고 허름하지도 않은 사내였다. 우리가 익히 관념적으로 알고 있는 중년의 모습 그대로였다. 그런데, 연착이라니!

"승객 여러분, 폭설로 인하여 항공기 운항이 잠시 늦어지오니 잠시만 자리에서 기다려주시기 바랍니다."

다른 승무원의 목소리가 비행기 앞쪽에 설치된 전화 스피커를 타고 기내에 전달되었다. 그녀는 처음의 승무원보다는 발음이 더 또박또박했다. 일정한 두께로 썰어진 생선회 같은 느낌이랄까. 한국과 일본의 승무원이 함께 일하고 있음을 짐작할 수 있었다. 우리는 눈보라 속에 갇혀 있었다. 타원형의 창문 밖에서는 공항 직원들이 눈을 녹이는 작업을 하고 있었다. 염화칼륨을 세차게 뿌려대는 모습이 보였다. 기체 외부와 활주로에 있는 눈을 녹이려고 많은 사람들이 무진 애를 쓰고 있었다. 비행기에는 승객이 많지 않았다. 날씨가 갑작스레 안 좋아졌고 도쿄로 가는 사람들의 마음은 바빠졌다. 어떤 여학생은 도쿄를 거쳐 남반구의 뉴질랜

드로 가는 길이라고 했다. 그녀는 갈아타는 비행기를 놓칠
세라 노심초사하고 있었다. 초행길인 나의 마음도 무거웠
다. 조바심이 났다. 그렇게 4시간여를 꼼짝달싹 못하고 비
행기 좌석에 앉아 있었다. 물 한 잔 주문 할 정신이 없었다.
여유가 사라졌다. 내 안의 은밀한 설렘은 활주로를 덮은 차
가운 눈처럼 꽁꽁 얼어버렸다. 마음의 시야가 확실히 좁아
짐을 느꼈다. 계획한 모든 여행루트를 뜯어고쳐야 했다. 사
람은 정말 간사하다. 좋았다가도 잠시 안 좋은 상황이 닥치
면 온몸의 온도는 영하의 날씨로 곤두박질친다. 열망은 실
종되고, 시작하지도 않은 여행을 망쳤다고 지레 생각했다.
하지만 이미 여행은 시작되었다. 누가 떠민 것도 아니다. 좋
든 싫든 공항이민국에서 여권에 도장을 받고 비행기에 탑
승한 순간부터, 아니 그 이전의 시간을 되감기 하여 막연한
기대와 상상으로 여행을 계획했던 순간부터 말이다.

　인생이란 그런 것이다. 갑작스런 기상악화나 기류의 불
안정으로 인해 요동치는 비행기처럼 우리의 인생에도 오
르막과 내리막이 있다. 허벅지에 엎질러진 뜨거운 커피처
럼 화들짝 놀랐다가도 그림자조차 얼어붙을 만큼 처절한
겨울의 한가운데를 지나는 것, 우리는 그 둘 사이를 평생
곡예처럼 살아간다. 완벽한 시작은 존재하지 않는다. 로맨

스 코미디 영화의 결말처럼 희망적이고, 긍정적이지만은 않다. 인생의 끝도, 여행의 끝도 어느 것 하나 원하는 결말을 기대하기란 쉽지 않다. 인간의 욕심이란 끝이 없어서 아둔한 이성으로는 어떤 행복을 잃었는지, 지나쳐 왔는지 분간할 수 없기 때문인지도 모른다.

그러고보니, 여행과 인생은 여러모로 닮은 구석이 참 많다.

사진 한 장

혹독한 더위를 지난 서울은 어느덧 가을비가 내렸다. 버스 차창 너머로 낮은 차들의 보닛을 통통 튕기는 빗방울들이 까만 아스팔트 위에 어지럽게 흩어졌다. 십 년 전, 도쿄에 도착했던 날도 그랬다. 도시에 머무는 내내 낯선 하늘에서는 차가운 비가 내렸다. 비는 우에노(Ueno) 공원의 갈 곳 없는 노인들을 더 초라하게 만들었다. 한큐 전철역을 빠져나가는 샐러리맨들의 구두 뒤축이 물에 젖어 무겁게 느껴졌다. 카페와 빵집을 드나드는 사람들은 너나 할 것 없이 투명한 비닐우산을 하나씩 가지고 있었다. 서울의 가을비보다 더 차가웠을 도쿄의 초겨울비는 그렇게 도쿄

사람들뿐 아니라 여행자의 몸과 마음도 얼려버렸다. 어쩌다 보니 겨울마다 방문했던 일본에서는 눈보다 비를 더 자주 만났다. 오사카에서 교토로 가던 날도, 고베로 가던 날 새벽도 마찬가지였다. 하루의 첫차를 타려는 간사이 사람들의 구둣발 소리 틈에서 단단하고, 굳건해 보이는 전철을 잡아탔다. 밖으로 보이는 도시는 야트막한 목조건물들이 엽서 속 그림처럼 나열되어 있었고, 마지막 역을 향해 갈수록 전철 안 사람들의 수는 급격히 줄어들었다.

"여행사진 좀 보여줘."

처음으로 도쿄에 다녀온 나에게 친구들은 물었다. 그들은 내가 무엇을 보았는지, 어디에 있었는지가 중요한 듯했다. 내가 한참이나 멀리 떨어져 있는 어느 외딴섬에 다녀온 줄 알고 있는 이들도 있었다.

"없어. 한 장도 찍지 않았어. 아니, 찍을 수 없었어. 핸드폰도, 카메라도, 아무것도 가져가지 않았거든."

나의 대답에 그들은 적잖이 의아해하는 눈치였다. 낯선

곳을 여행하는 사람이라면 당연히 그곳의 풍경과 자신의
모습을 사진으로 남기고 싶어하니까.

"왜 사진을 찍지 않았어? 나중에 남는 건 사진뿐인데."

"남는 건 사진일지 몰라도 가슴속 기억이 더 선명하고
아름다울 것 같아서."

그들은 여전히 나의 생각을 수긍하지 못하는 눈치였다.
나도 사진으로 남기고 싶은 곳이 있긴 했다. 도쿄의 몇몇
미술관은 마치 황야의 바이슨(Bison)처럼 웅대하고, 장엄한
기운을 뽐내고 있었다. 로댕과 자코메티의 조각으로 꾸며
져 있던 회갈색 브리지스톤 미술관이 그랬다. 한창 공사
중이던 도쿄 국립 서양미술관의 외관과 손보 재팬 도고세
이지미술관에서 전시회를 열던 일본인 노화가의 작품도
간결한 울림으로 기억된다. 해가 진 후, 신미술관에서 뿜
어져 나오는 전구빛은 인위적인 아름다움을 발산하며 달
빛에 저항하는 문명의 모습으로 도시를 밝혔다.
　하지만 나는 사진을 남기지 않는 쪽을 택했다. 사진 찍
는 걸 별로 좋아하지 않는 탓도 있지만 그곳에서 여행자인

동시에 일상생활자이고 싶었다. 생각한다고 저절로 되는 것은 아니었지만 나 스스로 도쿄 시내에서 응당 어디서든 지나칠 법한 낡은 신호등이었으면 했다. 출근길 만원 버스를 타는 사람들 중 하나이고 싶었다. 도쿄의 사람들이 받아들이든, 그렇지 않든 말이다. 파리 샹젤리제 근처에 사는 사람 중 화려한 쇼핑거리를 배경으로 사진을 찍는 파리지앵은 아마 없을 것이다. 북촌의 한옥 마을에 사는 주거민 중 매일 한복을 차려입고 대문 앞에서 셀카를 찍는 집주인은 드물다. 드레스덴과 뉴욕의 할렘에 사는 이들도 그저 하루를 견딜 뿐 자신들의 삶을 사진으로 기록하는 사람은 많지 않다.

가끔은 여행자들이 도시의 좋은 곳, 아름다운 곳을 더 많이 알고 있을 때가 있다. 가이드북의 친절한 설명 때문이기도 하지만 실제로 그곳에 살고 있는 사람들은 고된 일상을 재미나 한낱 낭만으로만 대할 겨를이 없는 까닭이다. 삶은 금방 만든 마카롱처럼 한없이 말랑말랑하거나 부드럽지 않다. 그것은 허락 없이 타인의 일상을 비집고 들어온 여행자의 상상만큼 마냥 신기하거나 따뜻한 것만은 아니다. 나는 짧은 여행이지만 막연히 그들 사회의 일부가 되고 싶었다. 그래서 구태여 사진을 남기고 싶지 않았던 것이다. 사진은 어제를 추억하는 도구 중 하나일 뿐, 여행자가 지나는 타국에서의 모든 기억이 한 장의 사진으로 대변되지 않길 바랐다.

속과 겉

우리는 모두 세상에 태어난 여행자이다. 자신의 선택에 의해서든 그렇지 않든, 사람은 누구나 태어나는 순간부터 삶이라는 긴 여정의 닻을 올린다. 흔하디 흔한 말로 삶은 곧 여행이다. 그 시작이 무엇이든 수없이 많은 어둠과 빛으로 달구어진 과거와 현재이다. 대장장이의 쇠처럼 외부의 망치질에 이골이 난 우리의 삶은 저마다의 표정처럼 다르게 존재하며, 여행 중에 끊임없이 발효되고 숙성되어 결국 지구라는 별에서 온전히 하나의 작은 새싹으로 발아하기에 이른다.

아주 어릴 때부터, 아마도 우리가 '여행'이라는 개념을 인식하지 못한 때부터 긴 여정은 시작되었으리라. 그리고 청소년기와 청년기를 지나 학교와 가족의 울타리를 벗어나며 누군가와 함께, 때론 혼자만의 여행을 위해 더 많은 짐을 짊어지고 다닌다. 그것은 고민하는 청춘의 짐, 사색하는 중년 여인의 짐, 절망하는 남편의 짐, 궁핍한 하층 노동자의 짐으로 그 얼굴을 달리한다. 그리고 아직 만나지 못한 세계를 유랑하며 그곳의 지나간 문화와 보편적 일상을 전쟁의 전리품처럼 취득한다. 우리는 그것을 영원히 소유하기라도 할 것처럼, 어쩌면 당연한 것인 양 가지고 간 커다란 여행가방 안에 소유물들을 꾹꾹 눌러 담는다. 하지만 곧 자각한다. 인생이라는 여행길에서 가방 안, 아니 마음 깊은 곳에 꼭 필요한 것이 무엇인지, 적당히 취하고 덜어내야 할 것이 무엇인지 말이다.

인터넷으로 주문한 가방은 이틀이 채 못 되어 집으로 배달되었다. 떠날 채비를 위해서 장만한 것이다. 아주 크지 않고, 옆으로 한쪽 어깨에 멜 수도 있다. 한 손으로 들기에도 적당하다. 원통형으로 생긴 가방의 겉면엔 옛날 세계지도가 어지럽게 그려져 있고, 위도와 경도가 그 사이를 오가는 모양새다. 나는 육안으로는 볼 수 없는 그 경계들을 지나다닐 것이다. 얼마나 큰 공간인지 알 수 없지만 좁으면 좁은 대로, 넓으면 넓은 대로 일상이라는 정원에 차려진 작은 미로 속 틈을 향한 여행을 시작할 것이다.

틈은 이전에도 지나온 적이 있다. 아직 하나의 작은 유

전자에 지나지 않았을 무렵부터 어머니의 좁은 태반에서 사람의 형상을 어느 정도 갖추는 동안에도 그랬다. 그곳에서 우리의 역사는 시작되었고, 열 달이 흘러 나의 무게를 견디지 못하는 어머니의 요구와 자연의 법칙으로 일찍이 화가 쿠르베가 '세상의 근원(The Origin of the World)'이라는 작품을 통해 이야기했던 틈을 통과했었다. 누구나 그런 방식으로 세상과 마주한다. 그것은 인간이라고 하여 특별할 것도 없다. 짐승이라도 마찬가지다. 소와 말, 고양이와 늑대의 새끼들도 모두 살기 위해, 살아보기 위해 틈을 빠져나와야만 무엇인가를 시작해 볼 수 있다.

틈은 하나의 문이다.

어제의 꿈과 오늘의 현실이 만나는 통로이며,

어둠의 근자에 희미하게 새어나오는 빛이 형성되는 공간이다.

틈은 누구에게나 균등하고, 평등하다.

여행가방

좋은 여행을 위해서는 꼭 유명한 브랜드 로고가 박힌 가방이 필요한가. 여행은 타인에게 멋있어 보이기 위한 것이 아니다. 여행을 마치고 어느 누구도 평가표나 결과보고서를 제출하거나 요구하지 않는다. 여행은 자신의 명석함과 일머리를 보여주기 위한 것이 아니다. 여행을 위해서는 좋은 두뇌가 필요하지 않다. 공부 잘하는 학생이라고 해서 여행계획을 잘 세우리라는 법은 없다. 코앞에서 버스를 놓쳐도, 기차 시간표를 잘 맞추지 못해도, 박물관 무료입장 시간에 조금 늦어도 누가 쫓아와 타박하거나 점수를 깎지 않는다.

여행은 특별한 스킬을 완성하는 일이 아니다. 대단한 기술의 습득을 가르치거나 제시해주는 것이 아니다. 여행자 각자의 다양한 취향이 존재할 뿐이다. 여행은 온전히 자신을 위한 것이어야 한다. 따라서, 가장 중요한 것은 자기 자신이다. 남들과의 경쟁을 통한 서바이벌 게임이 아니다. 누구보다 빠르게 어딘가에 당도하기 위한 것이 아니라 어느 방향으로, 어떤 속도로 갈 것인가를 따져야 한다. 여행의 발걸음은 느리면 느릴수록 좋다. 그러면 더 자세히 보고, 더 가까이 다가갈 수 있을 테니까.

"신(Shin)!, 너 그 가방 어디서 났어? 한국에서 산 거야?"

인도네시아 친구 푸융(Fuyung)을 오랜만에 만났다. 그는 마카사르(Makassar)[1]에서 내로라하는 좋은 대학을 졸업했고, 학구적인 집안에서 자랐다. 그는 고급스런 영어를 구사하며 안정된 직장에 다니고 있다. 그는 은행원이다.

"이거? 당연히 한국에서 샀지. 왜?"

"너무 예뻐. 정말 갖고 싶어. 그거 비싼 거 아니야? 네가 한국으로 돌아갈 때 나한테 그 가방 선물하면 안 될까? 넌 한국에서 다시 사면 되잖아."

"음, 글쎄……."

나는 한국에서 흔히 말하는 일류대학을 나오지 못했다. 집안이 그리 대단한 것도 아니다. 고급의 영어를 구사하지도 못한다. 외국친구들과 술 한잔하면서 수다 떠는 정도다. 일정한 직장을 가져본 적이 잠깐 있긴 했었다. 미술관

---

1) 인도네시아 술라웨시섬 남쪽 끝 해안가에 자리잡은 도시이다. 남부술라웨시의 주도(主都)이자 동인도네시아 해상무역의 중심지로 옛이름은 우중빤당(Ujung Pandang). 즉 '가장자리, 끝'이라는 의미를 가지고 있다.

에서였다. 그마저도 오래가진 못했다. 지금의 나는 도저히 한 곳에 뿌리를 내리고 자랄 수 없는 자갈밭의 들풀처럼 불안정한 프리랜서다.

그는 내 가방을 소유하기만 하면 자신의 삶이 완벽할 거라고 믿는 것일까.

가방의 역사

중국어로는 캬반, 일본어로는 카방, 러시아어로는 카반이라고 소리나는 '가방'은 언제부턴가 그 안에 물건을 담아 넣고 이곳저곳을 다니던 사람들에 의해 우리나라에서와 같이 비슷한 소리로 발음되기 시작하였다고 알려져 있다. 영어에서 'Bag'은 그 어원이 스칸디나비아어 'Baggi'에서 유래되었다고 한다. 인도네시아 말로 가방은 '따스(Tas)'라고 발음하는데, 각 나라에서 발음되는 소리의 미묘한 차이처럼 가방도 각기 다른 용도와 크기, 다양한 모양과 색상, 디자인으로 포장되어 있다.

인류의 역사에서 최초의 가방은 9세기경 아시리아 왕조 시대에 출현했다고 한다. 그 후 고대 그리스에서는 품속에 따로 주머니를 만들어 그 안에 물건을 넣고 다녔다고 하는

데 크기가 작아 훗날 그것은 현재 우리가 사용하는 지갑의 형태로 발전되었다. 그보다 조금 크기가 큰 파우치는 중세 유럽 십자군 원정시대에 어느 가톨릭 신부가 전쟁터로 나가는 병사들에게 십자가를 넣을 수 있는 크기의 주머니를 준 것에서 유래했다. 지금은 중년의 사모님이나 젊은 여성들이 그날그날 드레스 코드에 따라 포인트를 주고자 할 때 더 많이 쓰이는 흔한 파우치가 그 옛날 전장의 군인들이 생과 사의 두려움에 맞서기 위해 십자가를 넣고 다녔던 것에서 처음 사용했다는 사실이 그저 놀라울 따름이다. 점차 인류는 근대와 현대 산업사회를 거치며 여성의 사회참여가 두드러지는 시대와 맞물리면서 그들을 겨냥한 더 아름답고 화려한 핸드백의 역사가 시작된 것이다. 그런 현상은 21세기인 지금까지 이어지면서 작은 핸드백과 파우치, 백팩과 여행용 캐리어까지 여성들의 미적 취향을 고려한 가방들이 쏟아져 나오고 있다. 물론 거기에는 남성용 가방도 포함되어 있지만 말이다.

가방의 역사는 인류가 일군 유목의 역사이자 현대 동시대인들이 중독되어버린 여행의 역사이기도 하다. 유목생활을 시작했던 초기 인류의 사람들은 자연이 정한 계절의 변화에 따라 이사를 하며 생활에 필요한 최소한의 짐들을 옮겨 담아야 했을 것이다. 그 재료는 나무줄기와 나뭇잎에서 헝겊으로 그리고 동물의 살에서 단단한 재질의 공업용 가죽으로 변화되어 왔을 것이다. 유럽의 부자들은 다른 국경과 대륙으로 노예와 땅을 수집하기 위해, 원주민의 문화를 약탈하기 위해 커다란 캐리어를 만들었을 것이 분명하다. 막강한 지위에 앉은 누군가는 사적인 소유물들로 가방을 채우기 위해 수단과 방법을 가리지 않았을 것이다. 그 안에는 식민지 국가의 눈물이 담겨 있다. 침략을 미화한 뻔뻔함도 있다. 모험과 발견을 정당화한 역사와 역사가의 대범함도 숨어 있다. 가방을 든 사람들, 백인과 흑인, 아시아인 우리는 모두 서로를 향한 잠재적 침략자일까.

"신(Shin)! 오랜만이야. 그런데 그 가방 어디서 났어? 너무 예뻐. 네가 한국으로 돌아갈 때쯤 가방이 좀 낡으면 나한테 주고 가면 안 될까?"

리스카(Riska)는 나를 보자마자 가방 얘기 먼저 꺼낸다.

그녀도 푸융처럼 내 가방을 차지하기 위한 침략자일까.

하지만 아무리 생각해도 가방은 죄가 없다.

공항

공항들은 저마다 자신만의 개성을 드러낸다. 같은 나라에 있는 도시라 하더라도 각 지방의 성격이 공항에서 나타난다. 때론 본연의 모습보다 다른 측면에서 공항의 정체성을 드러낼 때도 있다. 나리타공항은 비행기의 외형적인 모습을 극대화 한 조형물로 눈길을 끈다. 그것은 스피드와 비상을 상징하는 높고, 매끈한 형태가 인상적이다. 작품은 일본의 세계적인 팝아티스트 무라카미 다카시(Takashi Murakami)가 제작한 것으로 알려져 있다. 간사이공항은 이탈리아 건축가 렌조 피아노(Renzo Piano)가 설계한 곳으로 유명하여 건축을 잘 알지 못하는 여행자들의 발걸음을 한 번 더 붙잡는다. 기타큐슈공항은 특이하게도 '망가(漫畫)의 나라' 일본답게 〈은하철도 999〉의 극 중 주인공 '메텔'과 '철이'가 지친 어른들의 동심을 일깨운다. 자카르타공항은 건축미보다는 내부 장식에 더 신경을 쓴 모양새다. 어딜 가나 야자수와 어우러진 정원이 있고 인도네시아를 상징하는 상상의 새, 가루다(Garuda)의 형상이 곳곳에 자리 잡고 있다. 그 외에도 인도네시아 특유의 문화적 다양성을 함축하며 지역적 정체성을 드러내는 전통 문양들을 만날 수 있다.

가장 최근에 방문한 공항은 쿠알라룸푸르 국제공항이다. 구터미널과 신터미널로 나누어진 공항을 사람들은 보통 끌리아 사뚜(KLIA1)와 끌리아 두아(KLIA2)라고 부른다. '사뚜(Satu)'는 바하사 말라유(Bahasa Malayu)로 숫자 1을, '두아(Dua)'는 숫자 2를 뜻한다. 제1터미널은 구공항이고, 제2터미널은 신공항이다. 최근에 동남아시아 여행객들이 많이 이용하는 공항은 당연히 제2터미널이다. 끌리아 사뚜는 한국의 김포공항 같은 느낌이고, 끌리아 두아는 인천공항처럼 모던하고, 세련된 분위기가 있다. 공항에서 쇼핑할 수 있는 경우의 수도 신공항이 아무래도 더 낫다. 국제적인 브랜드가 많이 입점해 있고, 식사를 해결할 수 있는 선택의 폭도 넓다.

노숙

끌리아 두아 터미널은 노숙하기에 좋은 공항이다. 쿠알라룸푸르에서 비행기를 갈아타고 가는 여행객들이 많기 때문에 티켓이나 여권만 보여주면 공항경찰의 눈총을 피할 수 있다. 나는 제2터미널에서 세 번이나 밤을 세운 적이 있다. 두 번은 인도네시아를 출발하여 한국으로 돌아가는 도중에 비행기를 갈아타기 위해서였다. 나머지 한 번은 비자 문제 때문에 잠시 제3국으로 나가야 했기에 내 의지로 간 것은 아니었다.

"형, 잠깐 말레이시아에 가야 할 것 같아."

인도네시아에서 거주하는 동안 비자와 관련된 서류를 도와주던 현지인 친구가 말했다. 그리고 그는 내게 쿠알라룸푸르로 가는 비행기표를 건네주었다. 그럴 때면 어김없이 술탄 하사누딘공항을 떠나 인근의 말레이시아로 가야 했다. 어쩔 수 없었다. 여행도, 인생도 한 치 앞을 알 수 없다. 삶이란 계획되어지지 않은 방향으로 흘러갈 때가 더 빈번한 법이니까. 일 처리가 늦은 이민국을 탓할 수도 없다. 인도네시아는 모든 불가능한 일도 가능한 곳이고, 모든 가능한 일도 이곳에서만큼은 그 가능성을 잃어버릴 수도 있다. 어쩌면 그들은 느린 게 아니라 느긋한 것일 수도 있다.

느린 것과 느긋한 것은 다르다. 이솝우화에서 느린 것은 거북이다, 느긋한 것은 토끼다. 애초부터 거북이는 토끼처럼 느긋할 여유가 없다, 토끼는 느리지 않다. 다만 잘하지 못하는 일과 하기 싫은 일을 명확하게 구분할 뿐이다. 인도네시아 사람들은 최소한 하기 싫은 일을 하지 않을 자유쯤은 가지고 있는 것일 수도 있다. 그래서 한국처럼 '빨리, 빨리'를 외치지 않아도 언젠가는 해결되리라는 믿음이 필요하다. 어차피 사람이 하는 일이기에…….

그래서 더욱더 기다리는 것에 익숙해져야 한다. 사람을 기다리는 것도, 사랑을 기다리는 것도, 초조해하거나 조급해 한다고 상대방의 마음을 얻을 수 있는 것은 아니다. 감정의 끓는 점을 급격하게 올린다고 해서 가짜를 진짜처럼 보이게 할 순 없다. 식어버린 사랑을 억지로 붙잡아 앉혀놓을 수도 없다. 여행의 일상은 그렇게 삶의 한 자리를 차지하고 아무것도 아닌 일에서 평범한 진리를 가르쳐준다. 그럼에도 이방인의 삶은 여권에 적힌 체류비자의 기한만큼 제한적이고 유한한 것만은 분명하다.

쿠알라룸푸르공항은 잠시 사람들로 붐볐지만 이내 나는 혼자가 되었다. 나와 비행기를 같이 타고 왔던 사람들은 모두 그들만의 여행을 위해 도시 중심지 센트럴역으로 떠났다. 검정색과 밤색 히잡을 두른 여인들은 그녀들의 아이들과 함께, 남편으로 보이는 남자의 뒤를 따라 공항을 빠져나갔다. 사우디아라비아의 제다(Jeddah)를 오고 가는 중동 사람들도 제법 많았다. 그들 중에는 말레이시아에서 일하는 사람들도 있을 것이다. 이슬람 국가인 말레이시아는 무슬림들이 종교적으로 생활하기 편하고, 같은 아랍권이기에 그들의 입장에서는 향수병의 크기를 줄일 수 있다.

특히나 말레이시아는 비교적 교통과 생활 환경이 깨끗하고 잘 발달되어 있는 나라여서 외국인들이 휴가나 일터, 은퇴이민으로 선호하는 곳이다. 여행객들이 모두 빠져나간 공항은 홀로 남은 나에겐 너무나 커다란 공간이었다. 밤비행기가 출발할 시간이 되면 또 체크인을 하려는 여행객들로 붐비겠지만 지금은 아니다. 나는 공항에서 긴 밤을 보내야 한다. 혼자서 견뎌야 하는 쿠알라룸푸르의 밤은 깊고, 짙다.

"안녕, 니꼴레따. 나 잠시 쿠알라룸푸르에 왔어."

"그래? 그럼 우리집으로 와."

"아니, 그럴 수 없을 것 같아. 내일 새벽 비행기로 다시 돌아가거든."

"정말? 그게 무슨 말이야. 왔다가 바로 간다고?"

"그렇게 됐어. 잘 지내?"

"우린 잘 있어."

"다행이야. 나중에 또 연락할게."

루마니아 출신의 그녀는 쿠알라룸푸르에서 살고 있다. 우리는 인도네시아의 족자카르타에서 1년 동안 함께 염색 미술을 공부했었다. 그녀의 첫인상은 매사 진중했으며, 오똑하고 날카로운 콧날은 가벼운 농담도 무겁게 만들어버리는 특유의 낯섦을 가지고 있었다. 한편으로 그녀는 주변 사람에게 배려심 많은 여자였고, 아주 당찼으며 독립적이기까지 했다. 인도네시아를 잠시 떠났던 그녀는 말레이시아로 건너가 한 외국계 회사에서 일하며 말레이시아 남자와 예쁜 만남을 이어가고 있다. 나도 그녀의 남자친구를 만난 적이 있다. 그는 동글동글한 얼굴형을 가진 부드럽고

귀여운 인상을 가지고 있었다. 그는 처음 만난 나에게 연신 "굿 보이"라며 포옹으로 반겨주었다. 그는 니꼴레따에게 한없이 다정다감한 사람이었다. 나를 포함한 주변 사람들 모두 그들을 정말 좋은 사람이라고 확신하였고, 실제로도 그랬다.

문자 메시지로 짧은 안부를 물은 후, 나는 다시 혼자가 되었다. 사람은 누구나 혼자일 수밖에 없는데 고독하다거나 외롭다거나 하는 것은 푸념에 불과한 것일까. 고독과 외로움은 구분 짓기 힘들다는 것을 차가운 공항 바닥에 등을 대고서야 재차 확인한다. 에어컨의 한기가 내 몸을 공항 밖 열대야로 내몬다. 내부는 바깥의 날씨와는 다르게 춥다. 그래서 그런지 홀로 된 나의 마음도 더 춥게 느껴진다.

홈리스

늦은 밤, 북아일랜드에서 파리로 도착한 나는 피곤한 몸을 이끌고 잠시 공항에서 휴식을 취했다. 입국장을 지키는 이민국 직원의 눈에는 이미 쌀 한 포대만큼의 피곤함을 가득 담고 있었다. 얇고, 하얀 입술은 더 창백해 보였다. 그녀는 소금에 절인 고등어처럼 축 늘어진 팔로 힘없이 도장만 찍고 있었다. 나는 어느새 파리의 샤를 드골공항에 도착해 있었다. 2시간의 짧은 비행도 밤의 피로를 막지는 못했다. 프랑스의 영웅 드골 장군의 이름이 붙여진 공항은 살아생전 그의 위풍당당함은 어디에서도 찾아볼 수 없었다. 어둠에 가려져서 보지 못했을 수도 있다. 나는 그곳에서 홈리스를 만난 적이 있다. 물론 그는 나를 보지 못했으니 일방적으로 '보았다'고 해야 할 것이다. 뉴욕에는 한 번도 가보지 못했지만 그곳에는 많은 홈리스가 산다고 들었다. 마트에서 물건을 담는 수레를 끌고 다니는 홈리스의 모습을 다큐멘터리에서 여러 번 본 적이 있다. 그중에는 아시아인도 꽤 많았다.

그는 아무것도 가지고 있지 않았다. 무엇도 소유하지 않은 그의 모습은 가벼웠고 단출했다. 검정색 외투를 입고 있었는데, 십 년만의 한파라고 하는 파리의 매서운 겨울바람을 막기에는 역부족해 보였다. 신발을 신고는 있었지만 많이 낡았고, 양말은 신고 있지도 않았다. 그는 불편하고 딱딱한 철제의자에 앉아 상체를 반쯤 뒤로 젖히고 긴 다리를 앞으로 쭉 편 상태로 잠을 청하고 있었다. 그렇게 추운 날씨에 잠을 잔다는 것은 불가능한 일이었지만, 얇은 외투의 앞섶을 몸 중심으로 최대한 끌어당긴 채 팔짱을 끼고 고개를 푹 숙인 자세였다. 잔뜩 웅크린 몸은 몇 초 후에 곧

쥐가 날 것처럼 불편해 보였다. 흑인 특유의 머리카락이 눈에 들어왔다. 한동안 자르지 못한 긴 머리카락은 공항의 모든 먼지를 품은 듯했다. 나는 그 근처에서 가방을 고쳐 매고 소지품을 다시 정리하고 있었다.

그에게선 심한 악취가 풍겼다. 집이 없는 시간만큼 제대로 씻지 못했기 때문이리라. 고약한 냄새는 투우를 겨냥한 투우사의 마지막 창끝처럼 내 콧속을 찔렀다. 시큼하기도 하고, 지린내가 나기도 했다. 묘하게 오염된 냄새였다. 세상의 모든 냄새가 그의 차지인 것만 같았다. 그것은 도시 이면의 냄새, 자유와 방랑의 냄새, 묵혀둔 세월의 냄새는 아닐까. 여행자도 의도적으로 집을 떠나온 사람이기는 하지만 어떤 의미에서는 일시적으로 '집이 없는' 홈리스와 다르지 않다. 각 도시의 공항은 잠시 머무르는 거주지가 된다. 공항을 통해 바깥세상으로 이어지는 길은 아스팔트로 포장된 가장 크고, 긴 블랙카펫이다. 홈리스는 비단 길 위의 사람들뿐만이 아니다.

어쩌면,

여행자는 현실 속 부유하는 홈리스일지도 모른다.

테이블 위의 낱말들은 이방인의 귀를 괴롭힌다.

다른 나라를 여행하는 것만이 진정한 여행이라고 할 수 있을까.

다른 도시를 여행하는 것만이 의미 있는 여행이라고 할 수 있을까.

다른 언어로 여행하는 것만이 고급스러운 여행이라고 할 수 있을까.

카페와 국제선 출국장의 사람들—*금발과 은발, 장발과 단발, 곱슬과 직모를 가진*—은 서울 신촌의 한 대학가나 수코하르조나 말리노나 소뼁이나 마레지구나 오모테산도나 상관없이 언어와 대화하는 방식만 다를 뿐, 도시의 사람으로서 말하는 것은 크게 다르지 않다.

- 이번 학기 학점은 별로야.

- 교수님과 면담해 봤어?

- 폭포에 가자. 말리노 딸기밭에서는 늙은 말도 탈 수 있어.

- 다행히도 아시안마트가 있구나.

- 역시 일본은 깨끗해, 지유가오카 골목길을 좀 봐.

- 일본이나 인도네시아나 고양이는 참 많구나. 사람들
은 고양이를 정말 좋아하는 것 같아.

 나는 사람들의 시선을 따라간다. 사람들의 말소리에 귀
기울인다. 곧이어 공항전광판에서 다음 행선지를 확인하
고는 무수한 사람들의 틈바구니에서 혼합되지 못하는 잉
여인간으로 남는다. 여행하며 사는 삶은 유목이라고 할 수
없다. 노마드(Nomad)라는 사회과학적인 언어로 포장하고
싶지 않다. 사람은 누구나 자신의 위치에서 각자의 방식으
로 전진하고 삶을 지탱한다. 꼭 여행이 아니더라도.

 여행자는 대도시와 소도시, 그보다 작은 시골 마을의 어
딘가로 표류한다. 정지된 일상을 지나 저마다의 리듬으로
흔들리는 사람들의 모습을 스케치한다. 교토에서 게이샤
일지도 모르는 여자들과 마주친다. 순간 고음의 웃음소리
에 홀려 에비수역 인파 속에서 길을 잃는다. 파도에 휩쓸
리듯 횡단보도를 건넌다. 초겨울, 싸릿눈이 흩날리는 오사
카의 아담한 강변 너머로 교복 입은 학생들의 모습을 카메
라에 담는다. 십대들은 낯선 도시에서 방황하는 여행자의
연약함과 어찌 그리 닮았을까. 덕분에 잠시 외로움을 잊는
다. 오히려 그보다 나을지도 모른다. 최소한 그들은 스스

로 잉여를 생산하지는 않는다.

건기에 들어선 자카르타에서 적도의 강렬한 밤공기와 마주한다. 빠당(Padang)에서 춤을 추다가 샤워기로 눈물을 훔친다. 마카사르와 작별하지만 이번엔 눈물이 나오지 않는다. 슬레만(Sleman)의 추억을 떼어내려 거리를 두다가 포기하고 만다. 말리노와 또라자 고지대에서 열대의 추위를 느끼고, 비라비치에서 바다거북과 물놀이를 한다. 우붓에서 노련한 상인과의 팽팽한 신경전 끝에 원하는 값으로 흥정을 마무리 짓는다. 그날 밤, 나츠카(Natska)와의 재회는 모기떼의 습격으로 그리 낭만적이지 못한 채 서로를 바라볼 뿐이었다. 테이블 밑으로 가려운 종아리를 벅벅 긁기에 바빴으니까.

공항에서 버스터미널로, 도시에서 국경지대로 이동하는 동안 나는 아무런 말도, 생각도 하지 않는다. 의식은 깨어 있지만 구태여 불필요한 행동을 하지 않는 것이다. 제3, 제4의…… 제10의 도시를 찾아 떠다닌다. 지도에서 본 적 없는 곳으로 길을 나선다. 하늘에서 바다를 본다. 파랑의 깊이를 알고도 모른 체한다.

여행자는 마침내,

어디에도 정주하지 않는다.

　　유랑하지 않는다.

아무 일도 없었다는 듯 바람을 쫓아가는 여행자는 돌연 잉여자로 삶의 가면을 바꾸어 쓴다.

25.08

당신의 몸무게는 얼마인가. 60㎏? 72㎏? 85㎏? 그렇다면 당신의 가방 속 짐의 무게는 얼마인가. 물론 그건 사람마다 다르다. 그리고 짐의 무게도 가방으로 한정하지 않는다면 살아 있는 동안 소유하고 있는 모든 것은 자신의 짐이 될 수 있다. 가령, 한 채의 아파트를 가지고 있고, SUV 차량을 소유한 사람이라면 그것만 해도 무게는 어마어마할 것이다. 거기에다 값비싼 터키제 유리그릇과 보르네오 맹그로브 숲에서 직수입한 나무로 만들어진 견고한 책상까지 더해진다면.

여기서 끝이 아니다. 어린 시절부터 꾸준히 종이로 된 책을 모아온 사람이라면 이사를 하면서 책의 무게와 거추

장스러움에 고개를 위아래로 끄덕이며 동의할 것이다. 그럴 때면 무언가를 끊임없이 모으고 소유하고자 했던 지난 날의 삶을 진지하게 되돌아볼 지도 모른다. 그리곤 굳게 다짐한다.

'이제 앞으로 절대 책을 사 모으지 않을 거야.'

'다음엔 가벼운 나무로 된 조립식 책상을 골라야지.'

'그래도 좋은 차는 포기 못 해.'

라고 혼자만의 다짐들이 다져지고, 깨어지기를 반복한다. 내일의 또 다른 소유를 꿈꾸며…….

선술집에서 한 친구는 말한다.

"새로 이사하는 집으로 칼 세이건의 코스모스까지 도저히 가져갈 순 없어."라고.

세상에서 가장 두껍고, 무거운 이 코스모스는,

무려 719페이지에 달한다!

차이

겨울은 한 발자국도 물러설 생각을 않고 있었다. 우리는 출국 수속을 밟으며 검정색 트렁크를 컨베이어 벨트에 올려놓았다. '16kg', 저울의 숫자는 정확히 16을 가리켰다. 두꺼운 겨울옷이 좀 있었지만 불필요한 것을 뺀 짐의 무게는 그 정도였다. 동행하는 이들이 말하길,

- 거기는 한국음식점이 없을지도 모른다.
- 한식 재료를 구하지 못할지도 모른다.
- 그래서 한 달 동안 먹을 음식을 좀 챙겨왔다.

라며 공항에서 호들갑을 떨었다. 그들의 짐은 좀 챙겨온 것이라고 하기엔 그 양과 무게가 상당했다. B는 한국에서 유명한 ○○참치캔과 햇반을 보름치나 챙겼다고 했다. 우리가 한 달 동안 머물 것을 생각하면 이틀에 한 번꼴로 한국음식으로 배를 채우겠다는 의도였다. P는 자신은 전형적인 토종 입맛이라 매일 빵이나 햄버거로는 버틸 자신이 없다며 봉지라면과 햇반, 그리고 짭짤한 김을 어림잡아

셀 수도 없을 만큼 챙겨왔다. 그는 심지어 자신이 좋아하는 브랜드의 한국과자까지 챙겼다고 했다. 일행 중 한 명은 두 개의 캐리어를 항공기 화물칸에 부쳤다. 이미 트렁크 하나의 무게는 항공사에서 정한 무료수화물의 수준을 넘어선지 오래였다. 내 짐을 제외한 여유분의 수화물 무게를 나눠주어도 다 못할 지경이었다.

나는 내 가방이 꽤나 무겁다고 생각했다. 그래서 짐을 너무 적게 꾸린 것이 아닌가 내심 걱정을 했었다. 사실은 괜한 근심의 무게를 만들고 싶지 않아서였다. 가지고 있는 물질의 무게가 반대편에서 마주하게 될 생각의 무게를 앞서지 않기를 바랐다. 그런데 막상 그들의 짐을 눈으로 확인하니 내 것은 아무것도 아니었다. 그들은 이미 한국에서부터 짊어지고 가야 할 식욕의 무게를 가지고 있는 듯했다. 달리 생각하면 그것은 어쩌면 두려움의 무게 혹은 남겨진 그리움의 대상에 대한 무게였으리라. 어느 나라나 음식은 존재하고 배는 채울 수 있겠지만 속 깊은 곳까지 따뜻해지는 어머니의 집밥이 주는 안식까지는 아닐 테니까. 여하튼 인천공항에서부터 진을 다 뺀 것만은 분명했다.

정리

우기가 끝날 무렵, 인도네시아에서의 생활을 정리하기로 했다. 모든 것의 시작과 끝에는 나름의 정리가 필요한 법이다. 완벽히 정돈되거나 정리되는 인생을 만들기란 쉽지 않다. 여행도 마찬가지다. 기억에서 완전히 버려야 할 것과 추억해야 할 것의 경계를 구분 짓기란 여간 어려운 일이 아니다. 그래서 마음의 짐을 정리하는 것보다는 취해야 할 물건의 유무를 결정하는 일이 훨씬 빠르다고 생각했다.

막상 처분해야 할 짐들은 많지 않았다. 팔아야 할 부동산이 있는 것도 아니었다. 친구 가족들의 집에 얹혀 살았으니 따로 집도 없었고, 오토바이도 빌려 타고 다녔으니 애초부터 내 것이라고 할 만한 것이 없었다. 나는 색이 바래고, 목이 늘어난 반팔 티셔츠 몇 개와 반바지들도 과감하게 버렸다. 캔버스에 그린 그림들은 나무틀에서 떼어내어 돌돌돌 말아 놓았다. 부피는 한눈에 보아도 줄어들었다. 그런데 며칠 후 확인해 보니 파랑색 여행가방의 무게는 큰 변화가 없었다. 나는 언젠가부터 내가 버린 짐의 무게만큼 도시로부터 무언가를 사들이고 있음을 알아차렸다.

커피를 좋아하여 커피원두와 커피파우더를 손에 잡히는 대로 샀다. 주변 지인들과 조카들에게 줄 과자와 기념품도 구입했다. 지금 떠나면 한동안 돌아오지 못할 것만 같은 걱정 때문이었는지 이곳에서만 구입할 수 있는 것들을 사 모았던 것이다. 그랬더니 가방의 부피는 물욕과 실수의 반복처럼 그대로였다. 오히려 북극의 얼음이 녹아 은근히 상승하는 해수면처럼 물건들은 가방 틈을 비집고 흘러나오기 시작했다. 지퍼를 닫는 것조차 힘들었다. 내가 떠나기 싫어한다는 걸 안다는 듯이 가방은 쉽게 입을 다물려고 하지 않았던 것이다. 집 밖을 나설 때마다 가방은 늘 나와 함께였다. 가끔은 말이 많은 사람을 만나는 것보다 말없이 곁에 있는 사물이 나을 때가 있다. 가방은 그런 존재다.

그것은 언제나 여행자의 옆을 지키던 최초의 사물이었던 셈이다.

무게

"날 기억해 줄 거야?"

"응."

"날 그리워 할 거야?"

"응."

"고마워. 거짓말이어도 괜찮아. 한국으로 돌아가서 곧장 날 잊어도 나쁜 사람이라 탓하지 않을게."

"……."

마지막일 수도 있는 그녀와의 입맞춤을 끝내고 다시 공항으로 떠났다. 오후의 창이공항은 한산했다. 캐리어의 무게를 재어보니 '25.08㎏'이 찍혔다. 그것은 단순한 숫자라고 치부할 만한 것이 아니었다. 마음속으로 1부터 25까지 세는데 그리 많은 시간이 걸리지 않지만 앞에 놓인 저울에 적힌 '25'라는 숫자를 마주하기까지 3년이라는 시간을 적도 아래서 보내야만 했던 나에게는 숫자 그 이상의 의미로 다가왔다. 아침 일찍 인도네시아의 마카사르를 출발하여 복잡한 수카르노하타공항에서 짐을 이끌고 다시 국제선 터미널로 이동하는 동안 가방의 무게는 단순한 숫자보다 더 큰 마음의 짐이 되어 돌아왔다. 다시 길을 떠나기 위해 공항으로 온 나는 현재와 과거의 무게를 가지고 앞으로 나아갈 수밖에 없다.

비행기가 수용할 수 있는 무료수화물의 최대 무게는 20kg이다. 내 짐의 무게는 그보다 5kg 더 무겁다. 무인체크인 기계 앞에서 탑승객들을 도와주는 싱가포르 직원은 나에게 다가오더니 이렇게 말하였다.

"Sir, 5kg이 오버되었네요. 짐을 빼서 기내 핸드캐리에 옮겨 담으셔야 해요."

"기내에 가지고 들어가는 가방은 작아서 더이상 담을 수 없어요. 그냥 보내면 안 될까요?"

"Sir, 그러면 나머지 잔여 무게에 대한 별도 요금을 지불하셔야 해요."

"얼마인데요?"

"Sir, 1㎏당 24달러를 내셔야 해요. 규정이 바뀌어서 요금이 예전보다 많이 비쌉니다."

말의 앞머리마다 꼬박꼬박 모르는 남성 혹은 귀하에 대한 존칭으로 쓰이는 영어표현 'Sir'을 붙이던 그가 조심스레 금액을 말해주었다. 나는 화들짝 놀랐다. 예전에도 이런 적은 있었지만 그땐 어느 정도의 무게는 유도리 있게 용인해주는 편이었다. 나는 뒤에서 기다리던 다른 탑승객에게 자리를 비켜주고 공항 구석으로 가서 주섬주섬 짐을 꺼내 옮겼다. 하지만 또다시 무인 체크인 기계에서는 짐을 더 빼야 한다는 표시가 나왔다. 아까 그 청년이 나와 눈을 마주치더니 안쓰러운 듯 묘한 표정을 지었다. 나는 짐을 덜어내기 위해 벤치로 갔다. 결국 더 많은 짐을 빼고 또 빼고 그렇게 세 차례 정도 시도한 끝에 겨우겨우 수화물 무게를 맞춰 짐을 부칠 수 있었다. 번거로웠지만 추가로 요금을 지불하지 않은 것에 만족해야 했다. 집도, 절도 없는 여행자의 가방이 이토록 무거웠던가. 더 많은 것을 가져오지 못해 조바심냈던 지난 시간도 돌이켜 보았다. 사람들은 한국에서 구할 수 없는 더 귀한 공예품, 더 많은 기념품을 여행지에서 가져오길 바란다. 발리에서 나무로 깎은 원숭이 조각상을, 족자에서 와양(Wayang)[2] 모양의 인형과 키홀더를, 싱가포르의 상징물 머라이언(Merlion) 형상의 두리안 과자와 초콜릿을 사는 데 아낌없이 돈을 지불한다. 하지만 그런 것은 수화물을 보낼 때 쓸데없는 것임을 공항은 가르쳐주었다.

욕심부리지 않는 여행

탐욕스럽지 않은 인생

그것은 삶이라는 긴 항해에서 꼭 필요한 마음가짐이 아닐까. 다음에는 가방 안에 여행에서 취한 욕망의 사심을 담지 않았으면 한다. 대신 마음을 넓혀 가져올 수 있는 여행의 추억, 개인의 역사를 무겁게 기억할 수 있기를 바랐다. 그 와중에 한가지 자기 합리화라면,

그래도 적도의 태양을 이고 고민한 삶의 무게치고는 가볍지 아니한가,

---

2) 인도네시아와 말레이시아에서 전통인형극에 쓰이는 인형이다. 인도네시아 자바어로 '그림자'를 뜻하며, 달랑(Dalang)이라고 부르는 인형술사가 조종한다. 인형은 주로 소가죽이나 나무로 만들어지며, 인형극의 서사는 주로 이슬람 인물에 관한 것이다. 특히 인도네시아의 문화수도라고 일컬어지는 족자카르타에서 와양공연과 제작이 대중적이다.

그쯤은 짊어질 만한 것이겠지.

존재하지 않는 기차역

스무 살 무렵은 뭔가를 쫓기에도, 손에 넣기에도 한없이
부족한 나이다. 세상을 알 만큼 나이를 먹었다고 하기에
도, 다 큰 성인이라고 하기에도, 그렇다고 아직 어리다고
하기에도 어딘가 모자라 성숙과 미숙 사이에서 많은 논쟁
을 낳는다. 어쩌면 사람의 일생에서 필연적으로, 존재하지
않는 물안개로 채워진 시간인지도 모를 만큼 그 시기는 불
명확하고, 불분명한 때이다. 하지만 그때를 지나왔다고 해
서 완전하게 어른이 되는 것도 아니다. 시간이 해결해준다
지만 정말 누구나 세월만 지나면 어른이 될 수는 있는 것
일까. 차라리 그러기라도 하면 좋겠는데.

약 20년 전쯤, 나는 청량리에서 출발하는 허름한 열차
를 타고 묵호항에 간 적이 있다. 그전까지 묵호(墨湖)라는
지명을 들어본 적도 없었으며 강원도와는 아무 연고도 없
었다. 강원도에 대해 아는 것이라고는 춘천막국수와 감자
뿐이었다. 이른 겨울 아침 청량리역 광장은 그 스산함이

이루 말할 수 없었다. 하물며 스무 살 언저리의 청년들에 겐 실재적 계절에 관계없이 청춘의 온도는 언제나 낮고, 쌀쌀한 법이다.

청량리에서 출발한 기차는 위태롭게 나아갔다. 그 비대한 고철 덩어리는 마치 건조한 초원에서 헐떡이는 아기코끼리처럼 아슬아슬하게 철로 위를 미끄러지고 있었다. 하루의 출발을 알리는 기차의 경적음은 고래가 뿜어내는 숨구멍의 그것처럼 요란스러웠다. 기차는 서울의 경계를 벗어나 첩첩이 산으로 둘러싸인 강원도 땅으로 향했다. 어스름한 새벽안개가 걷히니 이내 산등성이를 지나는 기차 앞으로 이번엔 하얀 구름떼가 나타났다. 기차는 야트막한 경사를 올랐다가 다시 후진하여 밑으로 내려와 묵호가 있는 동해로 향했다. 동해가 어디쯤인지 분간하지 못할 만큼 나는 잠에 취해 있었다.

원양어선을 타고 묵호항에 정박한 외국 선원들이 뱃사람 아우라를 풍기며 거리를 활보하고 있었다. 술을 찾으러 나선 것일까, 여자를 찾으러 나선 것일까. 얼핏 봐도 손목뼈는 강골이었고, 상체는 마라도나의 그것처럼 앞뒤로 두껍고 투박했다. 셔츠를 찢을 듯한 가슴엔 붉은 색의 굵고 곱슬한 털이 한 움큼 나 있을 것만 같았다. 움푹 패인 눈두

덩이 밑으로 땅거미처럼 짙은 그림자가 드리워져 있었다. 묵호역은 작고, 초라했다. 단 두 명의 역무원만이 교대로 표를 팔고, 검표를 했다. 타지에서 이따금씩 요란하게 들어오는 열차들은 삭막한 서울의 시간과는 반대로 느리게 다음 목적지를 향해 한 번도 서로를 만난 적 없는 여행자들을 실어나르고 있었다.

흰

모처럼 마카사르의 작은 방에서 화구를 펼쳐두고 그림 그릴 준비를 했다. 하얀 종이와 싸구려 캔버스도 구해왔다. 흰색은 언제나 처음의 색이다. 백지는 순수의 시작이고, 무한의 상상력을 펼칠 수 있는 공간이다. 어릴 적 유치원에서 그림을 그릴 때도, 글씨를 배우기 시작할 때도 선생님은 모든 아이들에게 흰색으로 된 스케치북과 공책을 나눠주셨다. 앞에 놓인 흰색은 그저 암담했으며, 표현의 시작을 늦추고 생각의 초점을 오히려 난감하게 만들기도 했다. 그림을 그리거나 글씨를 쓸 때도 흰색은 여전히 앞을 가로막고 있었다. 노트북 한글 파일을 열어도 흰색은 동체를 점령한 백태처럼 떠나지 않는다. 왼쪽 상단에서 시작을 알리는 검정색 커서(Cursor)만이 무기력한 나의 눈꺼

풀처럼 일정하게 깜빡일 뿐이다.

흰색은 항상 두려움의 대상이었다. 그것은 표면적으론 개인과 세상의 평화와 안녕을 상징하는 흰 비둘기의 깃털처럼 고요한 가벼움으로 해석되지만, 버릇없는 자식새끼에게는 말없이 굳게 휘두르는 어머니의 회초리이며 엎질러진 잉크로 망쳐버린 원고지의 첫 페이지가 될 수도 있다. 흰색은 아무것도 존재하지 않는 것처럼 보이지만 실상은 숱한 실패와 핑계, 좌절과 어리석음을 예고하는 색이기도 하다. 그것은 마치 경험하지 않은 세계를 맞닥뜨린 한 인간이 느끼는 막막함과도 같다. 그래서 우리의 여행에도 색이 있다면 나는 흰색이라고 말하고 싶다. 사람들은 지구의 위도와 경도로 얽힌 거대한 실타래를 따라 세계의 저편, 도시와 시골로 연결된 길을 걷는다. 때론 하늘로, 바다로, 강으로, 다리를 건너고, 울타리와 사선(死線)을 넘어 타인의 영역에 당도한다.

모든 일이 그렇듯, 준비되지 않은 여행은 어김없이 낭패를 보기 마련이다. 비단 그것은 여행에 필요한 물건을 빠짐없이 챙겼느냐, 아니냐의 문제만이 아니다. 다른 사회, 타인들의 세계를 받아들일 만한 마음의 준비도 포함된 것이리라. 슬기로운 여행을 위해서는 여행가방 안에 몇 장의 지폐가 있는지, 몇 개의 수건과 칫솔을 챙겼는지, 화장품과 비누의 향이 평소와 동일한지, 속옷과 양말은 여행하는 동안 모자라지 않게 충분한지, 불볕더위에도 견딜만한 선크림과 혹한의 추위를 막을 수분크림의 양이 중요한 것이 아니라 나와 정반대편의 사람에게 기꺼이 다가갈 수 있는 현재의 악수와 과거의 편견에 맞서는 용기가 필요한 것이다.

여행을 위한 준비는 완전한 '흰'색이어야 한다.
여행자의 생각도 적의 없는 '흰'색이어야 한다.

그 '첫'걸음이 나와 당신을 자유로운 여행의 정중앙으로 인도하길 바란다.

기차

마카사르에서 지내는 동안 가장 그리웠던 것이 무엇이냐고 나에게 묻는다면 그것은 '덜컹-덜커덩' 소리를 내며 요란하게 오가는 기차였다고 단숨에 대답할 것이다. 나는 언제나 차갑고 육중한 몸집의 고철이 보고 싶었다. 기차는 어릴 적 나에겐 가장 빠르게 공간과 공간, 사람과 사람 사이의 그리움을 이어주는 것이었다. 그 시절 비행기를 타 본 적이 없던 나는 지상에 존재하는 것 중 기차가 가장 크고, 빠른 교통수단인 줄로만 생각했다. 기찻길은 명절날 시골에 계신 할아버지와 할머니를 만나러 가는 가장 단단한 연결선이었다. 그것은 어쩌면 아버지가 떠나온 고향에 대한 먹먹함이었는지도 모른다. 언제고 갈 수 있지만 차디찬 철로의 냉기처럼 냉정한 현실 앞에서 자꾸만 포기하고 허물어졌던 우리네 부모님 세대의 마지막 희망의 온기가 아니었을까.

그런데 인도네시아의 마카사르에는 철로가 없다. 당연히 기차역도, 기차도 존재하지 않는다. 수도 자카르타에는 도시민들을 위해 정기적으로 운행하는 코뮤터(Commuter)가 있지만 마카사르가 있는 술라웨시섬에는 그조차도 있지 않다. 그래서 긴 거리를 느리게 여행할 때 느낄 수 있는 기차의 낭만을 나는 몇 년간 누려보지 못했다. 그보다 2년 전쯤 족자카르타에서 체류할 무렵, 발리의 우붓으로 가기 위해 족자의 뚜구(Tugu) 기차역에서 출발하는 야간열차를 타고 9시간의 여행 끝에 덴파사르에 도착한 적이 있다. 지루한 시간을 견디는 사람들의 모습은 제각각이었다. 같이 동행한 브라질 친구는 기다란 3인용 좌석을 혼자 차지하고 몸을 뉘여 최대한 편안한 상태를 만들었다. 주변의 다른 인도네시아 사람들은 앉아서 꾸벅꾸벅 졸기도 하고, 열차의 불편함 때문인지 연신 울어대는 아기를 달래느라 안절부절못하는 젊은 엄마의 모습도 보였다. 그림이나 낙서 같은 소소한 일로 여정의 지루함을 극복하려는 사람들도 있었다. 그리고 기차여행에서 빠질 수 없는 먹거리로 허기진 배를 달래는 노인들과 어린이들도 있었다. 나도 그들처럼 도시락을 주문해 먹기도 하고, 달달한 커피로 당을 보충하며 긴 거리를 그들과 함께했다.

장장 9시간이었다. 생각보다 긴 시간이 아닐지도 모른다. 할리우드 블록버스터 영화 5편 정도를 연속으로 보면 후딱 지나가는 시간일지도 모른다. 하지만 우리는 하루 중 얼마나 긴 시간 동안 서로 다른 익명의 사람들과 한 공간에서 얼굴을 마주하고, 체취를 느낄 수 있을까를 생각하면 9시간은 정말 길었다. 예전에 12시간 동안 비행기를 타고 하늘을 날아 본 적은 있었지만 기차가 전해주는 복작스러움과 엇박자로 전해지는 진동, 그 안에서 대화하는 사람들의 모습은 사뭇 달랐다. 이따금씩 지나다니는 검표원의 무표정한 얼굴과 흐리멍덩한 눈망울이 스쳐 지나간다. 창 밖으로 구름밖에 볼 수 없는 비행기와는 달리 기차의 창문은 자연의 피부와 더 가까이 대면할 수 있는 거리에 있다.

기차의 낭만은 어린 날 어머니의 손을 놓지 않으려 애썼던 아이의 절박한 찰나였는지 모른다. 서울역을 배회하는 노숙자들이 무서워 고작 한 살 많은 누나 손을 꼭 잡고 달걀과 우유를 손에 든 아이의 과거였을지도 모른다. 이제 막 소년의 티를 벗어 던지고, 약관의 청춘을 지나온 사람에 대한 위로의 다른 방식은 아니었을까. 여전히 뚜렷하게 모습을 드러내지 않는 마음의 기차역은 그 사이 나이만 먹은 아이에게 또 다른 여행의 출발점과 설렘을 이어가기 위한 철로가 되어주고 있지는 않은지…….

기찻길이 전국으로 펼쳐져 있는 고국이, 보통날 사람들의 일상을 실어나르는 기차가,

무척이나 그리웠다.

마카사르행 급행열차

울산 태화강역에 정차한 열차에는 그곳을 벗어나거나 지나쳐 가는 사람들로 가득했다. 아침부터 추적추적 제법 많은 비가 내렸지만 객실은 만석에 가까웠다. 나는 샌드위치와 탄산수를 손에 들고 서울 방향이라고 적힌 1번 플랫

폼에서 열차를 기다렸다. 울산에서 서울로 가는 완행열차
도 있지만 내가 예약한 열차는 KTX였다. 사실 아무거나
상관없었지만 어릴 적 어머니의 손을 잡고 서울역에서 출
발하던, 지금은 없어졌거나 일부 구간만 운행하는 통일호
나 무궁화호를 내심 기대했다. 단순히 열차를 타고 싶다기
보다는 출발신호에 따라 곰실곰실 움직이기 시작하는 느
긋한 여유를 느껴보고 싶어서였다.

막연히 기차 하면 연상되는 몇몇 장면들이 있다. 주황
색 망에 든 삶은 달걀과 초록색 사이다병—*그걸 마신 사람
들은 어른 아이 할 것 없이 '꺼억'하고 티를 냈다.*— 그리고
은박지에 고이 모셔진 김밥이 생각난다. 그때는 특별히 들
어간 것도 없는 김밥이 왜 그리도 맛있던지, 그 시절 기차
만 타면 너도나도 묘한 시장기가 감돌았다. 또 남색정복을
반듯하게 차려입은 역무원이 객실을 돌아다니며 "표 좀 보
여주시겠습니까?"라고 묻는 평범한 일상들이 생각을 스친
다. 먼지 한 톨 없는 흰 장갑을 끼고, 은빛 스탬플러를 가
진 역무원의 근엄한 모습과 굳게 다문 입술에 주눅이 들어
행여나 바지 뒷주머니에 넣어두었던 기차표가 없어졌으면
어쩌나 하고 괜히 마음 졸이던 그때를 간직하고 있던 것이
다. 그렇게 각인된 습관은 비 오기 직전에 직감적으로 알

아차리는 흙냄새처럼 쉽게 사라지지 않는 기억의 문신을 만든다.

나는 비록 원하던 완행열차를 타지는 못했지만 무시무시한 속도를 내는 열차에 몸을 실었다. 풍경을 찢을 듯이 공간을 가로지르는 고속열차의 스피드는 현대인의 조급함을 대변하듯 급하게 달리고 있었다. 나는 그런 와중에도 여전히 먼 과거를 곱씹고, 가까운 과거에 있었던 옛 연인에 대한 기억을 지우고 또 지우는 나 자신을 발견했다. 그리고 서로의 목에 벌겋고 퍼런 핏대를 세워가며 맞서 싸우던 한 남자와 한 여자의 모습이 생경하다.

필리핀과 한국, 전혀 다른 두 나라에서 나고 자란 남녀 사이란 금방이라도 산산조각 날 듯한 겨울호수의 불안한 얼음장 같았다. 한 침대를 쓰는 동안 우리는 쉴 새 없이 으르렁 댔고 슬레이트 지붕을 내리치는 빗소리를 집어삼킬 듯이 큰 소리로 쏘아붙이며 나쁜 언어를 얼굴에 뱉었다. 그러다가도 언제 그랬냐는 듯 서로의 몸을 탐하는 밤과 낮을 반복하는 동안 싸움에 지친 어떤 남자와 여자가 거울 속에서 참혹한 모습을 드러냈다. 그때부터 나는 그녀의, 그녀는 나의 흔적을 없애기 위해 노력하기 시작했다. 벽면 가득 붙어 있던 밀어와 둘만의 언어로 쓰인 모든 추억들을 가슴속 지우개를 꺼내어 하나씩, 하나씩 지워나갔던 것이다. 그리고 다시 고국에서 새로운 기차에 오르기까지는 인도네시아에서 한국까지의 물리적 거리보다 더 멀고 깊은 사랑의 상처가 아물기를 기다려야 했다.

"왜 갑자기 무궁화호를 타겠다는 거야?"

울산에서 만난 B는 내게 의아한 듯 물었다.

"그냥 천천히 가고 싶어서."

나는 짤막이 답했다.

울산에서 서울까지는 일반열차로 5시간 가까이 걸리는 제법 먼 길이다. 요샌 KTX를 타고 불과 2시간 안팎이면 서울역에 도착하게 된다. 더군다나 요즘 사람들은 한시라도 빨리 어딘가로 이동하려 하니 조금 느리게 가려는 나의 희망은 이상하게 보이는 게 당연하다. 하지만 어차피 다른 열차는 시간이 맞지 않아서 탈 수 없게 되자 나는 하는 수 없이 고속열차에 몸을 싣게 된 것이다. 그래도 기차가 아무리 빨라 봤자 지나온 세월만큼 빠르지 못하리라 생각하니 조금 안심이 되었다. 오늘의 기차만이라도 천천히 갔으면 하고 바랐다. 공간과 시간을 관통하는 기차는 산과 바다로, 새까만 터널 안으로 익명의 사람들을 잡아끌었다.

11호차 좌석을 찾아 앉은 나는 아무하고도 말을 섞지 않았다. 혹여 옆 사람에게 불쾌감이나 방해가 될까 상체를 바로 세우고 가방을 가슴 쪽으로 바짝 끌어안고 있는 것이 전부였다. 창가 쪽에 앉은 남자는 앉자마자 잠을 청했고 그러다 어떤 역에서 말없이 내려버렸다. 그다음에 앉은 사람도 마찬가지였다. 나도 잠시 눈을 붙였다. 그것은 강력하게 전이된 기침처럼 누구에게나 똑같았다. 대각선 너머로 노트북을 켜고 연신 자판을 두들기는 여자의 뒷모습이 보였다. 나와 같이 태화강역에서 탑승한 노부부는 도넛츠 가게에서 산 작은 머핀을 맛있게 나누어 먹더니 종착역을 몇 정거장 남겨놓지 않은 역에서 자리를 떴다. 그리고 거기에 다른 누군가가 나타나 자리를 차지하고 앉았다.

어느새 울산의 풍경은 서울이란 대도시의 그것으로 대체되었다. 그렇게 누군가의 시간도, 자리도, 비켜간 사람의 흔적을 남기지 않고 지워져 갔다. 기차는 말한다. 나의 기억도, 우리가 기억하는 추억도, 이국의 태양 아래 뜨거

웠던 사랑도, 과거의 아픔도 곧 사라질 거라고 말이다. 현
실에 존재하는 나를 눈 깜짝할 새에 서울역에 데려다 놓
은 열차는 지나온 짧은 시간뿐 아니라 지난 수년의 시간
도 이별의 철로 위에 훌훌 털어버리고 온 것인지도 모른
다. 그런데 내가 타려 했던 완행열차는 지금 어디쯤 오고
있을까.

2부

귀국

헬멧

　머리에 딱 맞는 헬멧을 찾기란 의외로 쉽다. 매장에 진열된 수많은 헬멧 중에 맘에 드는 디자인을 고르고 자기 머리에 맞는 크기의 헬멧을 찾으면 그만이다. 하지만 사람이라는 것은, 감정이라는 것은 내 마음과 일치하는 누군가를 찾는 일이다. 타인의 마음을 얻는다는 것은 오토바이 헬멧을 고르는 것처럼 단순하지 않다. 타인의 마음은 얻고 싶거나, 갖고 싶다고 해서 손에 넣을 수 있는 종류의 사물이 아니기 때문이다. 우리들 마음의 크기는 각자의 머리 크기만큼 일정하지 않아서일까.

　여행을 하다 보면 비슷한 처지의 동료들과 만나게 된다. 그들은 여러 갈래의 방향에서 각기 다른 방향으로 가는 동반자가 된다. 동료들 중에는 단지 여행을 위한 동료도 있고, 애틋한 감정이 솟는 파트너도 생기기 마련이다. 여행이라는 것이 출퇴근 시간처럼 일정하게 지속되진 않겠지만 삶 속에서 자유자재로 변주되는 한 부분인 것이다. 때론 그것들이 싫어하는 마음과 좋아하는 마음, 귀찮은 마음과 질투하는 마음 모두 고스란히 여행자의 감성을 장식한다.

나는 길에서 두 개의 헬멧을 샀고, 그중 하나를 그녀에게 건넸다. 각각 보라색과 진분홍색으로 칠해진 헬멧은 우리를 웃게 만들었고, 비가 내리는 오후의 풍경마저 환하게 비추었다.

삭제된 사진첩

어쩔 수 없이 오토바이만 남겨두고 떠나야만 했다. 크기와 색깔만 조금 다를 뿐 쌍둥이처럼 닮았던 두 개의 헬멧은 강제이별 당하고 말았다. 서둘러 커다란 캐리어에 짐을 몰아넣고 배낭끈에 헬멧 하나만 달랑 매달아 공항으로 갔다. 살던 집에 몇 가지 물건은 남겨두었다. 다 가져가지 못할 만큼 세월의 흔적도 있었다.

그녀는 며칠째 돌아오지 않았다. 혼자 여행을 가겠다고 했다. 몇 번의 연락을 주고받았지만 그럴수록 감정만 상할 뿐이었다. 그 길로 버스를 타고 그녀가 있는 세마랑으로 향했다. 그곳까지는 2시간 남짓 걸리는 길이다. 저녁이 다 될 무렵 출발하여 그곳에 도착하니 이미 어둠이 도시를 덮고 있었다. 도시는 어두웠고 초행길인 나는 사람들에게 길을 물어 그녀가 머무는 집을 찾을 수 있었다. 도로는 족자보다 굴곡이 많았다. 우리 둘 사이의 감정도 타협 없는 롤러코스터를 타고 있었다. 오토바이는 움푹 패인 아스팔트 길을 요리조리 잘도 피했지만 언덕과 언덕을 오르내리는 것은 피하지 못했다. 엉덩이가 들썩거리는 아픔을 참아야만 했다.

그녀는 거기 없었다. 찾을 수 없었다. 마음에서 지웠으니 있어도 '없었다'고 해야 옳다, 찾지 못했다고 해야 맞다. 이튿날 나는 다시 집으로 돌아왔다. 마지막이라는 것, 무엇으로도 채울 수 없는 두 이방인의 위험한 사랑은 그렇게 끝이 났다. 8월의 정직한 태양이 족자의 하늘을 보듬어 안았다. 해체된 그리움은 쪼개진 사과처럼 다시는 복구될 수 없다.

그리고,

모두 지웠다. 잠시나마 사랑이란 이름으로 서로를 옥죄였던 관계에 대한 불편의 씨앗을 짓밟는 편이 낫다고 생각했다. 그래서 나의 기억에서, 그 사람의 노트북 화면에서 우리의 모습을 삭제하기로 했다. 굿 빠이, 라는 말은 돌아오지 않겠다는 대화의 종말이자 부정할 수 없는 절연의 약속이다. 그래서 말해버렸다.

"*다다(Dada)*[1]......."

다시 너와 달리고 싶어

찌는 듯한 태양을 피할 수도, 벗어날 수도 없다. 그건 불가능하다. 자연을 거스른다는 건 애초부터 생각할 수조차 없다. 적도의 섬에서도 사람들은 기침을 한다. 우기의 온도는 여전히 낯설고, 해마다 찾아오는 찬 공기의 습격에 불편해 한다. 인도네시아 친구들은 여기저기서 입을 막고 재채기를 한다. 감기에 걸리는 건 인도네시아보다 훨씬 추운 한반도에서도 일상적이고 피할 수 없는 일이다.

사랑도 그렇다. 9회 말 투아웃 만루, 쓰리투 풀카운트

---

1) 헤어질 때 자주 쓰는 인도네시아어로 '안녕', '잘 가'라는 뜻

상황, 마운드의 투수와 타석의 타자는 숨을 곳이 없다. 그들은 서로를 노려보며 무슨 생각을 하고 있을까. 애증으로 중첩된 남녀의 감정도 그와 같으리라. 고귀한 사랑, 하찮은 사랑을 구분짓는 잣대는 어디에도 없다. 사랑이라는 것은 누가 하든, 누구와 하든 그 자체로 진실한 동화다. 다른 점이 있다면 현실의 동화는 언제나 해피엔딩을 보장하지 않는다는 것이다.

사랑으로 맺어지는 관계의 실패는 마치 움직이지 않는 골대를 조준하지 못하고 골대 밖으로 슛을 난사하는 축구 선수의 모습과 흡사하다. 수많은 연습과 경험에도 불구하고 정작 실전에서는 성공시키기 어려운 골만큼이나 우리가 삶에서 마주하는 오묘한 감정과 관계에서 겪게 되는 실패의 차이도 크게 다르지 않다.

그럼에도 무수한 좌절과 부끄러움, 분노의 끝에서 만나는 진실된 사랑은 결코 씁쓸하지만은 않으리라 기대한다. 아마도 그것은 인간의 대화 중 가장 소모적이지만 유의미한 언어를 남기기 때문일까. 사랑이 없이는 여행도, 삶도 무의미한 것이 아니던가. 사람의 모든 선택과 행동은 결국 방법의 차이일 뿐 나를 사랑하는, 내가 사랑하는 누군가와 함께하기 위한 결단으로 치닫는다.

오토바이에 올라탄 그녀의 팔이 아스팔트의 지열보다 더 뜨겁게 나의 등과 가슴을 휘감았다. 우리는 낯선 도시의 골목 어귀에서 원주민들과 출근길을 함께했다. 파티에 갈 때도, 산 위에 얹혀진 이름 모를 도시로 이동할 때도 언제나 함께였다. 더위에 지칠 때면 거리에서 싱싱한 과일주스로 목을 축였다. 도시의 남쪽에서 우리가 동거하던 북쪽까지 하나의 오토바이를 타고 수없이 오갔다. 낮은 낮대로, 밤은 밤대로 비현실적인 이방의 아름다움을 즐겼다.

오토바이는 언제나 우리의 발이 되어주었다. 속도는 완만했다. 최대 시속 60킬로미터를 넘기지 않았다. 새벽별을 따라 남쪽의 빠랑트리티스(Parang Tritis)[2] 해변으로 향할 때면 서로의 온기로 적도의 차가움에 저항했다. 그렇게 울퉁불퉁한 아스팔트 위를 달리는 순간은 이제 다시 오지 않는다. 그 사실을 잘 알기에 더욱 그녀와 오토바이를 타고 도시의 하룻밤을 달리고 싶다. 마주쳐 오는 바람에 미움과 다툼의 감정을 모조리 삭제시키고 싶다.

"아스카(Azka), 이거 너 가져."

---

[2] 족자카르타 중심지에서 남쪽으로 약 40km 떨어져 있으며 검은색 해변이 특징이다.

"왜, 안 가져가?"

"난 이제 필요 없어. 한국에선 오토바이 탈 일이 없을 거야."

"그래? 아직 쓸만한데. 그럼 내가 잘 보관해 둘게. 언제든지 돌아와."

나는 땀에 찌든 오토바이 헬멧을 친한 친구에게 건네고서 인도네시아를 '도망쳐' 나왔다. 그의 말처럼 언제든 돌아가서 다시 헬멧을 쓰고 흙먼지 위를 달릴지도 모른다. 물론 그때는 혼자일 가능성이 크겠지만 그래도 지금은 어떤 것으로도 일부러 가방의 무게를 채우고 싶지 않다.

때론, 과거의 추억은 단순한 숫자로 측정될 수 없음을 알아야 한다.

눈물을 참지 마

어떤 날은 텔레비전을 보다가 너무 웃긴 나머지 배꼽을 잡는다. 그렇게 한바탕 웃다 보면 가느다란 눈 사이로 비집고 나오는 짧은 눈물을 알아차린다. 어떤 날은 답답한 마음을 애써 억누르다가 누군가의 가시 돋친 말 한마디에 형체를 알 수 없이 터져버린 물풍선처럼 눈물샘의 꼭지를 사정없이 열어버린다. 눈물은 그 자체로 희로애락을 담고 있다.

"그만 좀 울어."

침대에서 등을 돌린 채 울고 있는 그녀를 채근하며 말했다. 그녀는 소리 내어 우는 법이 없었다. 눈물을 눈 안으로 삼키듯, 슬픔을 내지르는 법을 모르는 사람처럼 항상 묵음을 유지한 채 눈물만 흘렸다. 나는 가끔 아무 소리가 없으면 어두운 방에서 그녀의 코와 눈 밑을 손으로 더듬곤 했다. 그러다 차가운 액체가 만져지면 그것은 어김없이 눈물이었다. 그런 현상은 육체관계 후 더욱 심했다. 무엇이 그녀를 그토록 슬픔의 늪에서 헤어나오지 못하게 했던 것일까. 아마도 잃어버린 사랑에 대한 도의적 죄책감이었을까. 그녀는 필리핀에서 암에 걸린 남자친구를 떠나 보낸 적이 있다고 내게 털어놓았다. 그 사정을 모르는 바는 아니었지만 자꾸 질투가 났다.

"그만 울어, 우리도 시간이 별로 없잖아."

불 꺼진 방에 누워 허공에 대고 나는 말했다. 그러자, 그
녀는

"당신 앞에서만 울라고 나한테 말했었잖아. 그런데 왜
못 울게 하는 거야?"

말문이 턱 막혔다.

모든 여행은 결국엔 끝을 향해 달린다. 무수한 사랑도
그 나름의 결말이 있기 마련이다. 길 위에서 만났던 사람
들의 눈빛이 기억에 남는다. 파란색, 갈색, 검정색의 동자
들이 눈에 아른거린다. 그들은 어떤 사랑과 이별을 지나쳐
왔을까. 어떤 이별들이 그들을 가장 슬프게 했을까. 또 어
떤 눈물과 이별하며 떠나왔을까. 저 멀리서 어깨만 부르르
떨며 소리 없이 흐느끼는 그녀의 모습이 그려지는데도 나
는 아무렇지 않게 이국의 반대편 밤을 지난다.

일상과 이상

오늘은 어제보다 나았다. 어제는 오늘보다는 못한 오늘
이었다. 아마 내일은 오늘보다 더 나을 수도 있다. 오늘은
어제보다 반드시 좋아야 한다. 좋다는 것은 행복하다는 것
인지, 평범하지 않다는 것인지 알 수 없지만 사람들은 늘
어제의 오늘을 지나고 나면 그 시간을 망각하고, 앞으로의
날들에 대해서만 이야기한다. 그 앞날은 과거라는 디딤돌
을 놓지 않으면 결코 올 수 없는 날임을 알면서도 말이다.
무심코 잊고 지낸 하루하루는 일상이라는 연약함을 지닌
보통의 날들이다. 일상은 어제 내가 저지른 실수이고, 오
늘을 위한 과정이며, 내일 보게 될 자아의 맞은편이다.

여행자의 삶에도 일상은 늘 존재한다. 일상이 존재하지
않는 곳은 어디에도 없다. 우리는 일상이라는 보통의 시간
에서 사랑하고, 살고, 여행한다. 가방을 짊어지고 집 밖을
나선 여행자의 방향은 자칫 일상을 벗어나기 위한 일탈로
여겨지기 쉽다. 많은 이들이 그런 여행을 바란다. 하지만
여행에서 방향을 유지하는 일은 생각보다 중요하다. 어디
로 갈 것인지에 대한 것부터, 그곳에서 무엇을 보고, 먹고,
구체적으로 무엇을 할 것인지에 대한 계획과 방향성이 필

요하다. 보통의 여행은 일상에서 떨어져 나와 순식간에 지나가기 마련이다. 그런 일탈이 매일 지속된다면 그것 또한 어느덧 일상으로 덧대어진 일탈에 지나지 않는다는 것을 알게 된다. 방향설정이 잘 되지 않으면 우리의 여행은 오류의 영역을 벗어나지 못하고 표류하는 난민처럼 대서양 어딘가를 떠다닐 게 뻔하다. 우리는 일탈을 꿈꾸는 일상에서 작은 이상을 꿈꾸는 몽유병자일 뿐이다.

여행은 담백한 삶을 고스란히 닮아 간다. 삶은 여행일 수도, 일상일 수도, 이상일 수도 있다. 마침내, 삶은 그저 하나의 이름으로 태어나고 죽는 상황의 반복이다.

영수증

다행히 스타벅스는 있다. 피자헛도 있다. 혼자서 파스타를 주문하여 먹기 쉽다. 배스킨라빈스에서 딸기 아이스크림을 먹고, 던킨 도넛츠에서 초콜릿과 견과류가 얹혀진 도넛츠를 몇 개 산다. 맑은 우유와 함께라면 더 좋을 것이다. 맥도널드에서 햄버거를 주문하는 일은 어렵지 않다. 대형 패스트푸드와 프랜차이즈 커피숍은 세계 어디에서도 절대 실패하지 않는 맛의 성공률을 보장한다. 초보여행자에게도 타국에서 무엇을 먹을지 몰라 두리번거리는 시간을 절약할 수 있게 도와준다. 그들은 금액을 지불함과 동시에 영수증을 건네준다. KFC에서도, 커피빈에서도.

영수증은 언제나 주문과 동시에 이루어진다.
영수증은 물건을 구입한 것에 대한 증명이다.
영수증은 가장 가볍고, 창백한 자본주의의 얼굴을 하고 있다.

여행자의 지갑과 주머니는 영수증으로 넘쳐난다. 쇼핑 몰과 커피숍, 신발가게 매장에서 뭔가를 사면 점원은 쏜살 같이 영수증을 비닐봉투에 넣어 함께 동봉한다. 호텔에서 묵을 때도 마찬가지다. 프런트의 그녀는 여행자의 여권을 복사하고, 숙박료가 적힌 영수증과 기계적인 미소로 호텔 예약을 확인해준다. 환전소에서 달러와 루피아로 표기된 숫자들이 영수증을 빼곡히 메운다. 마지막 칸에는 익명의 여행자가 대충 흘겨 쓴 서명이 표기된다.

나는 낯선 나라와 도시를 여행할 때 영수증을 모으는 버릇이 있다. 비행기 예약티켓과 보딩패스를 수집한다. 호텔바우처와 여행자만을 위한 교통패스까지 거의 모든 영수증을 보관한다. 싱가포르에서는 무제한 투어리스트 패스를 38달러에 구입한다. 구마모토에서는 원데이 패스를 500엔에 구입하여 종일 노면전차를 타고 도시를 구경한다. 한겨울 한국을 떠나 싱가포르로 떠났던 전자항공권의 잉크가 새것처럼 진하다. 이국의 정취에 혼이 나간 사이 영수증은 거추장스러운 존재로 남겠지만……

마카사르(Makassar)발-폰티아낙(Pontianak)[3]행 보딩패스에는 외국인이 부르기 힘든 한글 이름의 영문 알파벳이 선명하다. 거기에는 이른 아침 쿠알라룸푸르공항을 출발했던 자카르타행 비행기의 기종이 무엇인지 기록되어 있다. 다시 자카르타에서 족자카르타로, 족자카르타에서 바뉴왕이로 가는 길은 심하게 구겨진 기차표가 여행의 발자국을 대신한다. 덴파사르에서 마카사르를 거쳐, 또라자(Toraja)로 향하는 버스터미널의 허름한 종이표는 400킬로미터가 넘는 육지길을 간략한 숫자로 표기한다.

나는 빨래방에 빨래를 맡기고 받은 영수증도 모아둔다. 마카사르에서 빨래를 맡기면 1kg당 대략 8,000루피아를 지불해야 한다. 가격표는 언제나 다 된 빨래를 찾으러 갈때 옷이 포장된 비닐팩 위에 붙여져 있다. 금액은 초라해

---

3) 인도네시아 서부 깔리만딴의 주도이며 항구도시로 적도가 지나는 지점에 적도탑이 세워져 있다.

도 비닐팩을 뜯을 때 진동하는 진한 표백제 냄새가 동남아 시아의 향신료만큼이나 강하다. 토코 아궁(Toko Agung)이라 는 이름을 가진 큰 문구점에서 크레파스와 종이를 구입하 고 받은 영수증을 지갑에 넣는다, 잔돈으로 받은 500루피 아짜리 동전과 함께.

몇 번이나 한국의 부모님에게 보낸 은행의 국제송금 영 수증도 꾸역꾸역 보관한다. 지난달엔 300달러를 보냈다, 이번 달에도 같은 금액을 보냈다, 언젠가는 400달러를 보 낸 적도 있다. 하지만 많은 돈을 보낸 적은 없다. 여행자의 통장은 코르크 마개를 열어 놓은 와인병과 같다. 병 안의 와인은 언제고 바닥을 드러내도 전혀 이상하지 않다. 송금 영수증에 영문으로 고국의 주소와 주거래 은행의 스위프 트 코드를 썼다 고치기를 반복한다. 나의 어눌한 인도네시 아 말과 영어를 못 알아듣는 은행직원의 어리둥절함은 우 리 둘 사이에서 억지스러운 미소를 만든다. 그럴 때 가장 필요한 것은 스마트폰의 번역어플 뿐이다.

영수증은 모든 일상의 기록이다.
어디에서 왔는지,
어디로 갈 것인지,

얼마만큼의 돈을 썼는지,

얼마만큼의 돈이 더 필요한지,

무엇을 먹었는지,

무엇을 샀는지,

어디에서 잤는지…….

어제의 과소비는 내일 여행자의 가난을 살찌운다.

영수증은 심지어 개인의 은밀한 사생활도 기록한다. 한밤중 말리오보로(Malioboro)[4] 거리에서 술을 마신 날짜는 그날 밤, 근처 호텔에서 체크인된 영수증의 그것과 일치한다. 또 그날 오후, 술집에서 가까운 곳에 있는 키미아 파르마(Kimia Farma) 약국에서 구입한 콘돔이 언제 쓰였는지에 대한 추측을 가능하게 한다.

영수증은 여행자의 거울이 된다. 그것은 사람의 기억보다 정확하다. 거짓이 허용되지 않는 진실이다. 몇 가지의 숫자와 글자는 단순하지만 가장 정확한 사실이다. 현실은 환상이나 이상이 아닌 지독한 일상이어야 동의할 수 있다.

_____

4) 인도네시아 족자카르타의 중심거리. 족자카르타를 찾는 모든 여행자들은 이곳에서부터 여행을 시작한다.

여권(旅券)에 대하여

I. 여행문서

공식화된 여행문서를 우리는 여권이라 부른다. 여권은 내가 속한 국경의 한계를 넘어 이국의 다른 섬에서 휴가를 보낼 수 있게 하고, 다른 도시의 골목에서 와인이나 에스프레소를 마실 수 있는 자유와 권리를 부여한다. 또, 눈이 크고 파란 사람들에게 '나'라는 존재를 단편적으로 증명할 수 있는 증명서가 되며, 어떤 사람에게는 생소한 국적으로 다가갈 수도 있고, 어떤 이에게는 일생에 꼭 한 번쯤 방문하고 싶어하는 나라의 사람으로 선망의 대상이 될 수도 있다. 여행을 하기 위해서는 이렇게 작은 문서가 필요하다. 어떤 국경을 넘든지 간에 그것은 나의 뿌리, 즉 이방인으로서 내가 어디에서 태어나 살고 있고, 어디로 돌아갈 것인지에 대한 확신을 금발의 키 큰 공항직원에게 알려줄 수 있는 것이다. 그는 꼼꼼히 나의 여권을 확인한다. 물론 항상 그런 것은 아니다. 어떤 나라를 여행하느냐에 따라 다르고, 어느 시간대에 공항이민국을 통과하느냐에 따라서도 다르다. 흔히 앵글로 색슨으로 대표되는 백인들의 도시, 런던의 히드로공항을 통과할 때는 약간의 긴장이 필요하다. 명확한 의사소통을 위해 가느다란 눈을 최대한 크게 뜨고, 움직이기 힘든 귀도 기민하게 반응해야 한다. 그럴 땐 가끔 왜 인간은 개나 토끼처럼 청각이 발달하지 못했을까 하며 조물주를 원망하기도 한다.

히드로공항은 저녁에도 그야말로 인산인해를 이룬다. 런던을 여행하려는 사람들과 인근 다른 섬으로의 이동을 위해 국내선 비행기로 갈아타야 하는 여행자들로 붐빈다. 그리고 거의 백인으로 이루어진 공항직원들은 검은 머리의 아시아인과 그들이 말하는 제3세계에서 온 듯한 의복을 입은 사람들을 예의주시한다. 공항에서 그들의 임무는 어쩌면 그런 것일지도 모른다. 자신의 나라를 방문한 이방인들에게 친절을 베풀기보다는 왜 왔는지, 얼마나 머물기 원하는지, 많고 많은 나라 중 왜 꼭 영국이어야 하는지, 어디에서 머무를 것인지에 대한 투명한 증거를 요구하는 것 말이다. 그리고 그중 하나라도 께름칙하다고 생각되면 두말없이 핀잔을 주거나, 줄의 맨 뒤로 다시 가서 이민국 직원이 원하는 대답을 연습하도록 강요한다. 그리고 그는 이전의 질문과 다른 것을 물어본다. 여행의 장벽은 서로 다른 언어의 몰이해와 보이지 않는 인종적 차별, 의심으로부터 자유로울 수만은 없는 법이다.

"그는 나에게 신발까지 벗도록 요구했어. 그래서 신발을 벗었더니, 다시 내게 말하기를 양말까지 벗으라고 하더군. 계절은 겨울이었고 공항바닥은 차가운데 말이야. 그런데 더 이해할 수 없는 건 내가 스캐닝을 기다리고 있던 줄에서 내 앞뒤 사람은 나 같은 동양인이 아니었던 거야. 어느 나라 사람인지는 모르지만 그들은 모두 백인이었거든. 그런데 굳이 나에게만 몸수색을 하기 전에 신발과 양말까지 벗으라고 하는 건 동양인, 아시아인에 대한 차별이라고 생각해. 정말 기분이 나빴어. 그건 명백한 인종차별적 처사였다구."

미스터 리는 점점 목소리의 볼륨을 높여가며 나에게 말했다. 나는 그의 말을 들어줄 수밖에 없었지만 기실 나에게도 그런 일이 있었던가 스스로 물어보면, '아직까지는 그런 일을 당하지 않아서 다행이었지'라고 안도의 한숨을 내쉴 수 있었다. 미스터 리의 경우는 안타까운 일이다. 그의 불만이 충분히 이해가 간다. 같은 동양인이고, 같은 나라 사람으로서가 아니라 한 인간으로서 동등하고 공평한 잣대로 평가되지 않는 상황에 동의하는 것이다. 백인은 백인이 아닌 사람들을 멸시하거나 차별적인 언사로 조롱하기도 한다. 또 백인에게 멸시받은 오랜 과거를 기억하는 흑인은 작고 왜소한 아시아인을 낮추어본다. 그리고 그런 피부색의 구분에 익숙해진 아시아인은 그 안에서 서로를 분류하여 다른 방법으로 서열을 정리한다. 그중 일본과 함께 경제적으로 조금 우위에 있는 한국은 일이나 여행을 하러 한국을 방문하는 필리핀이나 파키스탄, 태국, 인도, 네팔 같은 국가에서 온 사람들의 피부색을 있는 그대로 보아주지 않는다. 요즘은 많이 나아졌지만 여전히 우리보다 사회적 인프라나 경제적 부를 이루지 못한 그들에 대해 색안경을 끼고 대하는 경우가 적지 않다. 그들에게도 미스터 리가 히드로공항에서 겪었던 차별을 인천공항과 한국인에게서 똑같이 느끼고 돌아갔으리라 생각한다. 미스터 리처럼 관광이나 직업을 위해 정당한 방법으로 여행문서를 가지고 한국으로 입국했음에도 그러한 의심의 눈빛은 그들 마음에 지울 수 없는 화상(火傷) 자국처럼 오래 남을지도 모를 일이다.

아이러니하게도 오늘날의 여권은 국가와 대륙의 카테고리를 나누고, 다시 개별 국가의 서열을 차등하여 합법적인 차별과 편견을 가능하게 하도록 인간에게 강요하는 것이 아닌가 생각한다. 누가 어떤 사람인지에 대한 궁금증보다는 그 누군가가 어떤 색깔의 여권을 가지고 있느냐가 그를 판가름하는 잣대로 작용할 수 있다는 것이 어쩌면 여행을 처음 시작하는 사람에게는 설렘과 기대보다는 걱정과 두려움으로 다가올지도 모른다. 하지만 그러면서 또 깨닫게 되리라. 우리의 피부색과 여권의 기능이라는 것은 한낱 서로에 대한 호기심과 궁금증을 증폭시키기 위한 인류의 발명품이라는 것을 말이다.

"너 이제 보니 갈색 눈동자를 가지고 있구나?"

동양인인 나의 얼굴을 빤히 쳐다보던 샬롯(Challote, 프랑스 발음으로 그녀의 이름은 본래 '샤흘롯'에 더 가깝게 들린다.)은 이렇게 말했다.

"응, 갈색이야. 어머니가 갈색 눈동자를 가지고 계시거든."

나는 대답했다. 그러자 샬롯은 다시 이렇게 말했다.

"난 아시아 사람은 모두 눈동자도 다 검정색인 줄 알았어. 너의 갈색 눈동자 정말 마음에 들어."

　프랑스 국적과 여권을 가지고 있지만 엄밀히는 프랑스
령인 구아달루프(Guadeloupe)[5]가 고향인 그녀의 말이 기억
에 남는다. 아시아인들이 파란 눈의 서양인들을 동경하고
아름답다고 생각하는 것처럼 그들도 동양에 대한 신비로
움을 상상하고 있다는 것을 생각하게 했다. 그런데 의외인
것은 그녀의 피부는 백인보다는 건강미 넘치는 남아메리
카 사람의 그것과 비슷했으며 머릿결은 흑인처럼 곱슬이
었지만 이목구비는 아랍인처럼 또렷했다. 그리고 결정적
으로 그녀의 눈동자도 여타의 백인이 가진 파란색은 아니
었다. 오히려 검정색에 가깝다고 해야 할까. 그렇다면 여
권에 적힌 국적으로 그 사람의 모습을 상상하는 것은 하등
의미 없는 일이 아닐까.

II. 여행자의 권리
　이제는 누구나 손쉽게 컴퓨터로 여행사를 검색하고 가

---

5) 프랑스령에 속하는 작은 섬으로 본토에서 구아달루프까지는 무려 6,698
㎞ 떨어져 있다. 오히려 남아메리카의 베네주엘라와 지리적으로 가깝고, 카리
브해에 속해 있어 열대기후를 띤다.

고 싶은 여행지로 떠나는 비행기표를 살 수 있는 시대가 되었다. 혼자 여행을 즐기고 싶고, 여행에 이골이 난 역마살 낀 여행자들이 많이 생겨나면서 여행사의 역할은 굉장히 제한적으로 변했다. 최근에는 단순히 티켓 업무를 대행하는 수준으로 그 영역이 좁아진 모양새다. 혼자서도 여행을 계획하는 사람들이 많아지고, 급기야 그들은 거의 여행에 관한 전문가가 다 되어서 자신이 가고자 하는 목적지를 향하는 항공권을 선택하고, 어디에서 묵을 것이며 어떤 테마를 가지고 움직일 것인가에 대해서 집요하고 계산적으로 접근하여 계획을 실현한다. 따라서 수수료를 주면서 여행사에게 부탁하는 일은 갈수록 적어지고 있다. 거기에는 인터넷을 통한 정보 수집이 큰 기여를 하고 있다.

여행에 관해 무엇을 할 수 있고, 하고 싶은 것인가에 대한 권리는 여행자에게 달려 있다. 먹는 것을 즐기는 이들은 식도락 여행을 즐길 것이다. 당장이라도 일본 긴자로 날아가 가부키 극장 근처에 있는 스시 장인의 작품을 맛보고 싶어할 것이다. 어떤 이들은 미식가들의 도시 파리로 날아가기 위해 12시간의 고된 비행도 마다하지 않을 것이다. 그리고 그들은 루브르 박물관 건너편에서 센느 강 수면으로 아스라이 부서지는 햇살을 음미하며 세계 3대 진

미라고 알려진 푸아그라를 목구멍으로 넘기고 싶을 것이다. 음식에 대한 도전정신이 있는 사람이라면 중국으로 날아가 야시장에 널린 각종 벌레와 곤충으로 만든 꼬치 음식에 도전할 수도 있다. 미술이나 건축에 관심이 있는 사람이라면 당연히 오르세 미술관에서 넋을 잃고 미술서적에 소개된 많은 작품들을 눈에 담을 수 있으리라. 특히나 로댕의 예술에 조예가 깊은 사람이라면 벌거벗은 세례 요한과 발자크 상 앞에서 비웃음과 낯부끄러움보다는 엄숙하고 진지한 울림을 전달받을 것이다. 그들은 또 도시 한복판에 하얀색 대리석 신전처럼 지어진 팔레 드 도쿄에서 피카비아의 작품을 실제로 보고 실망할 수도 있다. 그보다는 더블린국립미술관의 고풍스럽고 영국적인 풍경화와 초상화에 심장이 두근거릴 수도 있으리라. 그림엽서를 수집하는 사람이라면 미술관을 나오기 전 아트숍을 모르고 지나칠 리가 없다.

각 나라의 관문이라고 하는 공항에서 그 도시만이 가지고 있는 스탬프를 자신의 여권에 수집하는 사람도 적지 않다. 사실 그것은 수집하고 싶다고 해서 수집할 수 있는 것은 아니다. 돈과 시간이 필요한 일이고 가끔은 둘 중 하나가 부족하다 하더라도 가능한 일이기도 하다. 나리타공항에서 괴상한 한자가 적힌 스탬프를 받아든 독일인은 그것을 신기하게 생각할 것이다. 그 의미를 해석하기 위해 스마트폰으로 검색을 하고 무슨 말인지 확인하기 위해 스캔하여 번역기를 돌릴지도 모른다. 사각형과 삼각형, 원형 모양의 각기 다른 공항의 스탬프 모양처럼 여행은 다양한 모습으로 변주하고 국경의 정체성을 드러낸다. 말레이시아로 입국할 땐, 파란색 사각형 모양으로 된 방문도장을 찍어준다. 여행을 마치고 다시 출국할 땐, 삼각 지붕 모양이 얹혀진 빨간 집 형태의 스탬프를 경쾌한 소리와 함께 찍어준다.

얇은 종이 위에는 수많은 여행의 흔적이 흐릿하게 남아 있다. 그것은 기억 속에서 세월에 지워진 잉크보다 더 선명한 추억을 상기시킨다. 착륙을 허가한다는 짤막한 내용을 담은 인천발 도쿄행 스티커와 90일의 체류를 보장한다는 간사이공항과 후쿠오카공항의 입국스티커가 지난날의 여행을 되새김질한다. 벨파스트에서 대한민국으로 돌아왔음을 알리는 빨간 사각 도장과 인도네시아 체류비자 스티커가 붙어 있는 뻣뻣한 여권 페이지는 어느새 해진 여행자의 신발처럼 닳아 있다. 싱가포르에서 찍힌 육각형의 검정색 스탬프는 아직 싱싱하다. 여행자는 어디로 가야 할지

정할 수 없는 수많은 도시를 머릿속에 그린다. 그리고 다음은 어디로 가야 좋을지 생각하고 또 생각한다.

결국 여행자의 신분으로서 할 수 있는 일이란 자유라는 환상이 담긴 어제의 병을 비우고 오늘의 새로운 병을 헤르메스(Hermes)[6]로부터 받아들고 신나는 미지의 바다로 출항하는 일뿐이다. 그것이 아름다움으로 포장된 장미숲의 가시덤불일지라도, 한없는 행복이 보장된 지루한 사막일지라도 말이다. 여행자는 환영과 모험이라는 보이지 않는 날개를 몸에 달고 세상의 이편과 저편을 현재의 시간 속에서 이동하는 사람들이다. 그것이 여행자의 권리이며, 여행이라는 삶을 살아가는 인간의 선한 욕망이 아닐까.

여백기(餘白期)

짐을 꾸린다. 버릴 수 없는 것들이 너무 많아서 어쩔 줄 모른다. 수십 장의 종잇조각들이 청바지 뒷주머니와 셔츠 가슴주머니에서 하나둘씩 존재감을 뽐낸다. 2016년 6월 8일에는 또아르코(Toarco) 커피숍에서 누군가와 커피를 마신 일이 있다. 상대방이 잘 기억나진 않는다. 여행은 숱하

---

6) 그리스 신화 속 올림포스 12주신에 속하며 전령과 여행의 신이자 상업과 도둑의 신으로 알려져 있다.

게 많은 사람들을 버스정류장처럼 지나치게 만든다. 2017년 11월 21일 오전 7시 45분에는 택시영수증이 고개를 내민다. 맨 아래 쿠알라룸푸르라고 적힌 파란색 영문 알파벳이 흐릿하게 남아 있다. 어디를 그리도 서둘러 가려고 했을까. 또 어떤 날들이 있었는지 들여다본다. 여행자가 기억하지 못하는 어떤 하루, 어느 목요일, 모월, 모년의 일들을 영수증은 또렷이 기억한다. 빡빡한 일정에 어딘가에서 누군가와 주고받은 영수증에는 불특정한 인물과 나의 지문이 함께 묻어 있다. 영수증의 여백은 조용히 그 정체를 숨기고 있다.

餘白

그것은 무언가를 마치지 못한, 혹은 일부러 남겨둔 공간을 의미한다. 알알이 다 쓰이지 못한 시간일 수도 있다. 여행자의 길은 남겨진 여백으로 가득하다. 아무리 열심히 걸어도 끝을 다 보여주지 않는 지구의 땅을 걷고 또 걷는다. 작은 욕심들이 여행자의 시야를 더럽힌다. 길 위의 분방한 자유가 다른 형태의 나쁜 욕망을 만드는 것이다. 사람들은 인생의 휑한 공백을 담담한 여백으로 남겨두기를 원하지 않는다. 마치 여행에서 돌아오는 가방에 꽉꽉 들어찬 기념품과 옷, 액세서리와 말린 망고, 람부탄 같은 열대과일들처럼 빈 곳을 허용하지 않는다. 남겨진 공허에 대한 두려움 때문일까.

하지만 세상은 채워진 날들보다는 아직 살아보지 못한 날의 여백으로 가득하다. 갓 태어난 아이의 삶이 채 그려지지 않은 스케치로 남아 있다. 졸업을 미룬 대학생의 내일이 캠퍼스 밖에서 그를 기다리고 있다. 해발 8,091미터의 안나푸르나는 많은 산악등반가들의 발길을 기다리며 앞사람이 지나갔던 설원을 처음처럼 되돌려 놓았다. 싱가포르의 클락키는 아시아의 또 다른 가족의 순진한 웃음을 기다린다. 몇 년 전 보수된 도쿄역도 도깨비 여행을 즐기는 혼행족들의 새로운 발자국을 설레는 마음으로 바라본다.

우리가 지나가지 않은 길은 누구도 가지 않은 것처럼 보이는 중고 여백일지도 모른다. 일생 동안 다 쓰지 못하는 뇌와 텅 비어 있는 것처럼 보이는 우주도 그 나름의 적절한 기능을 다하고 있는 것이다. 누군가는 거대한 우주에 인간이라는 생명체만이 존재한다면 크나큰 낭비라고 말했다. 우리가 알고 있는 지구가 우주의 모든 것이라고 하여도 우린 아직 지구도 다 알지 못한다. 봄에 피는 꽃의 이름도, 아프리카 초원의 모든 생물들에 대해서도 다 모르는 우매한 존재인 것이다. 드넓은 우주 공간을 열심히 탐험한다 한들, 한 사람이 태어나 지구의 모든 대륙을 밟아보지도 못하고 죽는 것은 자명하고도 평범한 삶, 그 자체다. 여행은 그런 평범한 일생이 부여한 '보너스' 시간이다.

삶의 여백은 결코 수북이 쌓인 영수증의 잘려나간 흰 공간처럼 무의미하지 않다. 여행자의 걸음이 생각보다 느리거나 애초에 계획하지 않은 방향으로 갔다 하여도 그것이 여행이라는 큰 틀에서 틀렸거나 아주 가치 없다고 단언할 수 없는 것처럼 말이다.

여백은 누구에게나 필요하다, 여행자이든 아니든 상관없이.

국적과 국경

시대가 흐를수록, 과학기술과 교통이 발전할수록, 아니 훨씬 이전부터 사람들은 다양한 이유로 국경을 넘었다. 수

세기 전에는 이민족에 대한 저항과 식민지화를 위해 정해
놓은 국경선을 넘어 전쟁과 침략으로 땅의 면적을 늘리기
에 급급했다. 섬나라들은 대륙에 대한 궁금증 때문인지 더
많은 땅을 차지하기 위한 욕심 때문이었는지 배를 타고 대
양으로 나가 작은 섬들을 침범하고 압제했다. 대륙으로 이
동해서도 마찬가지였다. 영국이 그랬고, 일본이 그랬다.
대륙의 끄트머리에 있던 이베리아 반도의 스페인과 포르
투갈도 그 대열에 합류했다. 그들은 모험가로 위장한 침략
자들을 양성하기도 하였다. 그 시대의 모험가들은 지도를
볼 줄 알았고, 바다에서 길을 찾을 줄 알았다. 덕분에 마젤
란이, 콜럼버스가 역사 속 영웅이 되었다. 그들이 발견한
것이 진정한 의미의 신대륙이 아니었을지도 모르는데 말
이다.

21세기 여행자들은 자신의 신분을 보장하는 여권과 항
공권만 있으면 자유롭게 비행기를 타고 다른 나라의 하늘
을 넘나들 수 있는 권리와 자유를 가지고 있다. 유럽의 국
경은 이미 최소한의 역할만 담당하고 있을 뿐, 유럽인으
로 통칭된 그들의 왕래는 그 어느 대륙보다 자유롭다. 이
제 배를 타고 몇 달씩 걸려 대서양이나 인도양을 가로지를
필요가 없어졌다. 위험요소는 바다나 하늘이나 마찬가지

지만 더 빠르게 여행의 시작을 계획할 수 있게 되었다. 갑작스런 성장을 거듭한 대한민국은 20세기 후반부터 본격적으로 사람들의 질주가 시작되었다. 베를린 장벽을 넘은 독일인들처럼 너나 할 것 없이 비행기를 타고 국경을 넘어 다른 나라의 현재로 들어가고 싶어했다. 그리고 지금은 비행기에 대한 환상이나 동경을 품은 사람의 수가 크게 줄어든 것도 사실이다. 아무리 풋내기여행자라도 서울에 살고 있는 김씨는 도쿄까지 2시간이면 날아갈 수 있다. 제주 섬에 사는 이씨는 더 빠르게 오사카나 기타큐슈에 착륙할 수 있다.

그리고 고민할 필요없이 일본에서 스시와 편의점 샌드위치를 먹는다. 더블린과 벨파스트에서 연어샐러드와 1파인트짜리 기네스맥주가 곁들여진 햄버거 세트메뉴를 불과 5파운드 동전 한 닢으로 해결한다. 파리에서 굴요리와 파스타를 맛보고, 인도네시아에서 나시고렝과 미고렝, 아얌고렝과 커피를 지겹게 먹는다. 말레이시아에서는 오히려 한 번도 가 본 적 없는 인도의 인도식 커리음식점에서 식사를 한다. 싱가포르에서는 소고기가 들어간 중국식 국수와 바쿠테, 갖가지 양념으로 맛을 낸 돼지고기 요리를 안주 삼아 타이거맥주에 취한다.

소설을 쓰는 자카르타의 아무개씨는 십수 년도 넘는 세월 동안 그곳에 터를 다져놓았다. 서울에 사는 B씨는 수년간의 인도네시아 체류생활을 마치고 한국으로 돌아왔다. 터키여자 E도 반둥과 발리에서 살다가 다시 미얀마 양곤에서 2년 동안 일하고 고국으로 돌아갔다. 끈다리(Kendari) 출신의 인도네시아 국적의 S는 싱가포르에서 10년째 가정부로 일하며 고향에 가족들을 위한 집을 지었다. 그녀는 연말쯤 영구 귀국할 것이라고 했다. 술라웨시 남부의 작은 도시, 바루(Barru)출신의 H는 곧 인도네시아를 떠날 것이라고 말했다. 무엇을 할지, 어디로 갈지는 아직 정하지 않았다고 했다. 그러면서도 호주에는 가지 않을 것이라고 했다. 하지만 그녀의 영어 발음은 호주식 영어에 가깝다. 또다른 술라웨시 출신의 L은 호주 멜버른에 거주하며 마카사르에서 매년 문학페스티벌을 열었다. 그녀는 행사에 필요한 모든 기금을 호주의 돈 많은 독지가들로부터 후원금을 받았다며 그들과의 친분을 과시했다. 그녀의 호주식 억양은 어쩐지 위협적으로 들린다.

어떤 이들은 자신의 나라가 보잘것없어서 국경을 넘는다. 반대로 어떤 이들은 완전히 다른 삶을 찾아 국적을 바꾸기도 한다. 그중에는 선택의 여지가 없는 이들도 있다.

각기 다른 방식으로, 서로 다른 피부를 가지고 국경의 안과 밖을 배회하는 우리는 어찌 보면 행복이라는 같은 목적을 쫓는 국적 없는 여행자들이 아닐는지…….

5°10'26.3"S 119°25'19.5"E

술라웨시 남단의 끝자락, 마카사르의 잘란 안디 톤로 5번가. 동네로 들어가는 초입에는 높은 시멘트담으로 둘러싸인 공동묘지가 형성되어 있다. 담이 높아 그곳에 산 지 몇 달이 지나서야 무시무시한 공동묘지인 것을 알게 되었다. 그 동네에 내 친구 이맘(Imam Zulfikar)이 산다. 그는 굼뜨지만 영어에 능통하며 보기보다 영리한 두뇌를 가지고 있다. 자동차 운전을 잘하고, 집안의 대소사를 빠짐없이 챙긴다.

그는 아버지와 어머니를 모시고 함께 산다. 그들은 각각 마카사르 인근의 소도시, 보네(Bone)와 셍깡(Sengkang) 출신으로 아버지 무스타만은 교육자이자 지역정치가이고, 어머니 파티마는 마카사르 관광청과 시립미술관에서 부관장을 지낸 고위공무원이다. 그리고 집안일을 돌보는 아스리(Asri)와 하와(Hawa)가 있다. 원래는 셋 아니 넷이었지만 둘은 독립하여 집을 떠나고 둘만 남았다. 그들은 약관으로 어리지만 근면하고, 성실하다. 아스리는 오토바이 운전을 잘하지만 왜소하고 부끄러움이 많다. 하와는 회계학을 전공했지만 박물관 안내데스크에서 일한다.

그리고 그 집에는 14마리의 고양이가 산다. 슬하에 자식이 하나뿐인 무스타만과 파티마는 고양이들을 애지중지 아낀다. 형제가 없는 이맘도 외로울 틈이 없다. 그는 일주일에 한 번씩 큰 포댓자루에 담긴 고양이 식량을 차로 실어 나른다. 대략 3일에 한 번씩 고양이 화장실로 쓰이는 모래를 새것으로 교체해준다. 아침이면 고양이들의 물그릇에 깨끗한 물을 가득 채우고, 밥그릇에 사료를 붓는다. 이따금씩 신선한 생선살과 닭고기도 섞어준다.

그는 '집사' 노릇을 톡톡히 했다. 부모님의 출장과 관련된 비행기 예약은 모두 그의 차지였다. 안디 무스타만의 출장은 잦았다. 자카르타와 끈다리, 마나도와 보네로 한 달에도 몇 차례씩 도시와 도시, 공항과 공항을 오갔다. 이맘은 모든 집안일과 외적인 문제들을 처리해 나갔다. 나는 그 집에서 세 번의 이슬람 명절인 라마단과 두 번의 썸머 크리스마스를 보냈다. 그들은 나를 아들처럼 생각해주었다. 아침에는 항상 진한 또라자커피를 끓여서 거실 탁자에 올려두었다. 그리고는 내가 잠자고 있는 방문을 사정없이

두드린다. '탁탁!, 통!통!통!'

"신(Shin), 커피 마셔!"

파티마는 이른 아침 나를 깨우는 것이 하루 일과 중 하나였다. 물론 커피를 타 놓은 이는 하와였다. 집안에 잔치가 있거나 라마단 기간에 부까 뿌아사(Buka Puasa)[7] 시간이 되면 그들은 나를 불러 함께 먹고, 마시고, 어울릴 수 있도록 배려했다. 나에게 잠자리와 식사도 제공해주었다. 따로 돈은 받으려 하지도 않았다. 무슬림인 그들은 돼지고기와 술을 입에 대지 않았는데 닭고기와 소고기, 염소고기는 항상 풍족했다. 그래도 나는 가끔 혼자 바닷가에 나가 내가 좋아하는 닭튀김에 시원한 맥주를 마시고 들어오기도 했다. 아무것도 보이지 않는 검은 바람은 아득하고 좋았다.

우리는 한국식으로 말하자면, 나시뿌띠(Nasi Putih, 흰쌀밥)를 나누어 먹는 식구(食口)였다. 피부색도 다르고, 언어

---

7) 이슬람 라마단 기간 중 하루의 일몰시간을 가리키며 '부까'는 '열다'라는 의미이며, '뿌아사'는 '금식'이라는 뜻이다. 즉, 매일 행해지는 금식이 해제되는 시간이라는 말이다. 이때 무슬림들은 비로소 음식을 먹을 수 있게 된다.

도 다르고, 종교도 달랐지만 큰 문제가 되지 않았다. 무스타만은 영어를 할 줄 몰랐다. 파티마는 대학에서 영문학을 전공했지만 영어를 잊고 산 지 오래다. 하지만 젊은 시절 잠깐이지만 군생활까지 한 그녀는 특유의 강단과 자신감으로 나의 눈을 피하지 않고 영어와 인도네시아어로 대화를 시도했다. 도무지 뜻이 통하지 않는 이야기는 이맘의 입을 거쳤다. 그들의 생활은 별반 다르지 않았다. 매일 이슬람 기도시간을 칼같이 지키고, 아침밥을 먹고, 일터로 간다. 주말에는 친척들을 불러 쇼핑을 가거나 근교로 짧은 나들이를 나간다. 때때로 나는 그들과 동행했다.

세계의 일상은 다르지 않다. 최소한 나와 비슷한 모습을 한 사람들이 사는 공간이라면 국경의 이쪽이든 저쪽이든 입고, 마시고, 먹는 문화가 달라 보일지라도 결국엔 크게 다를 바 없다. 사람들의 가슴은 따뜻하고, 슬픔의 눈물과 기쁨의 눈물이 차이는 있겠지만 누구의 것이건 눈물은 똑같이 짜다. 사랑의 크기와 그리움의 크기도 우리가 생각하는 그만큼의 범주에 있다. 지나온 거리와 포용의 거리는 달랐지만 삶의 시선은 같은 간격을 유지하고 있었다. 나와 그들의 관계는 적도의 이글대는 태양보다 뜨거운 온도로 서로를 기억하고 있을 것이다.

오래된 집, 오래되지 않은 집 사이에서 전해져 오는 익숙한 공간은 집과 그곳을 이루는 사람들을 대변한다. 집은 더이상 집이 아닌 공동의 구역으로 변해버린 지 오래다. 대도시의 집들은 대부분 지붕과 굴뚝이 없다. 시크한 주거형 오피스텔과 비싼 브랜드 이름이 박힌 호텔들, 초고층 아파트가 공중에 새로운 거주지를 형성한다. 우리집과 남의 집을 불문하고 집으로 가는 길은 길이 아닌 암호를 해독하는 일과 같다. 모든 집들은 똑같거나 비슷한 생김새의 외형 때문에 어디가 나의 집이고, 너의 집인지 분간하기 힘들다. 그래서 각기 다른 번호가 부여되었다. 외벽과 현관문에, 열쇠 대신 문을 여는 데 필요한 번호키까지. 모든 번호들을 나열하면 꽤 길다. 그것들을 완벽히 외우는 데도 적지 않은 시간이 소요될 것이다.

이제는 더이상 기와지붕도, 고즈넉한 돌로 켜켜이 쌓은 아담한 담장도 보이지 않는다. 마당이 있는 집은 자본주의 체제에서 성공한 극소수 부자들의 전유물이다. 이미 오래전부터 아파트 외관은 집집마다 설치된 거의 동일한 규격의 에어컨 실외기가 별도의 공간을 차지하고 있다. 인간의 생활을 편리하게 하는 기계들은 언제부턴가 옥상에 올려

놓았던 감갈색 장독대의 자리를 대신하고 있었다. 아파트는 경쟁적으로 높이에의 압박을 강요받는다. '현대적'이라는 말로 포장된 시멘트굴 속 거대 기둥들은 비슷한 조건의 사람들을 분류하기도 한다. 얼마의 재력이 있는가, 없는가를 판단하는 기준은 어떤 이름을 가진 아파트에 살고 있는가라는 질문에서부터 시작된다. 보통의 사람들은 스트레스를 받기에 충분하다. '보통'이라는 사회적 기준에도 미치지 못하는 사람들은 똑같은 압박에 시달리고 있으리라. 공항에 내려 볼품없는 밀레니엄 시대의 신전처럼 세워진 집으로 돌아오는 길은 여행자의 마음을 불편하게 만든다. 아파트 주변의 나무들은 독립심 없는 샌님처럼 옹졸하기 그지없다. 그것은 자연 위에 조성된 인공적인 도시로 지구 밖 인공위성에 무차별적으로 노출된다.

"도시의 정책이 우리가 석양을 볼 권리를 해치고 있어."

마카사르의 사진작가 소피얀(Sofiyan)이 내게 한탄스럽게 내뱉었다.

"석양? 판타이 로자리를 말하는 거야?"

나는 되물었다.

"응, 거기. 우리 마카사르 사람들은 괴로운 일이 있을 때나 즐거운 일이 있을 때나 상관없이 그곳에 가서 언제든지 아름다운 석양을 볼 수 있었어."

"그런데?"

나는 그의 말이 끝나기 무섭게 되물었다.

"그런데, 마카사르 주지사는 석양이 지는 곳으로 간척 사업을 하려고 해. 그리고 바로 앞에 보이는 작은 섬과 연결한 다음, 외부 관광객들을 끌어모으기 위한 새로운 도시 계획을 준비하고 있어. 물론 대다수의 사람들은 반대하고 있지. 그곳엔 곧 고층빌딩과 관광호텔이 들어서게 될 거야. 그러면 석양빛은 일그러지고 건물에 가려지겠지. 그들은 우리가 자연을 누릴 권리를 명백히 침범하고 있어. 그리고 그건 미래의 우리 아이들이 우리가 봤던 석양을 공유할 수 없다는 것을 의미하기도 해. 그건 정말 슬픈 일이야."

그는 격앙된 목소리와 마카사르 지방 특유의 빠르고 리드미컬한 말투를 앞세워 사람들의 심정을 대변했다.

"하지만 반대로 도시가 발전한다는 것을 의미하기도 하잖아. 그곳에 리조트나 호텔이 생긴다면 일자리를 구하지 못한 도시의 젊은 사람들이 일을 하며 생계를 유지하는 순기능도 있지 않을까?"

나는 다른 생각을 그에게 전했다.

"아니," 그는 단호하게 말을 이었다.

"아름다운 석양을 막으면서까지 도시를 개발하고 발전시키는 건 이상적이지 않아. 적어도 여기 마카사르에서는 말이야. 우린 오래전부터 이곳에서 살았어. 도시 어디에서든 항구 쪽으로 기우는 석양을 보는 건 일과를 마친 사람들이 누구나 누릴 수 있는 하루의 위안 같은 것이란 말이야."

그들의 생각은 매 순간 새로움만을 갈망하는 대도시에

서 숲과 바다로부터 단절된 삶을 살았던 이방인과는 달랐다. 그가 말하는 석양은 단순한 석양 그 이상이었는지 모른다. 한국사람들이 집집마다 품고 있는 장독대에 대한 향수와 그 안에 담긴 장 맛이 모두 제각각인 것처럼 말이다.

그곳을 떠나오기 전 마카사르 최대 관광지인 로자리 해변 앞은 일부 주력 정치가들과 고위직 공무원들의 주도 아래 이미 간척사업이 빠르게 진행되고 있었다. 작은 섬을 잇는 짧은 고속도로가 건설되고, 얕은 바다에서 토사를 퍼다가 실어나르는 포크레인의 모습이 심심찮게 목격되었다. 제일 처음 그들은 거대한 이슬람 성전을 그 중앙에 지었는데 아이러니하게도 돔의 색깔은 주황색, 노란색, 빨간색이 주로 섞인 석양빛을 띠고 있었다. 마치 개발을 반대하던 도시민들을 얄팍한 신의 이름으로 위로라도 하는 것인 양, 아직 완성되지 않은 철골 구조물에 장식된 모스크의 돔은 석양이 필요없는 한낮과 한밤에도 가릴 수 없는 자연의 색깔을 푼수처럼 보여주고 있었다. 서울의 아파트 숲 사이로 기울어지는 석양이 마카사르의 그것과 오버랩되었다. 어쩌면 여행자가 꿈꾸는 파라다이스는 소피얀이 말했던 그 노을은 아니었을까.

이른 아침 창 밖으로 내려다보이는 파리의 거리는 겨울 왕국의 모습처럼 파르스름한 눈안개로 덮여 있었다. 분위기는 사뭇 피카소의 '청색시대(Blue Period)'처럼 처연하고, 음울하기까지 한 살기를 띠었다. 지난밤의 피곤한 비행도 잊은 채 여행의 설렘 때문인지, 타국에서의 알 수 없는 긴장 때문인지 누가 흔들어 깨운 것도 아닌데 저절로 눈이 떠졌다. 거실로 나오니 민박집 아주머니는 환한 얼굴로 동양에서 온 나를 맞이하며 반가운 아침 인사를 전했다. 나는 눈을 부비며 식탁으로 갔다.

한국음식들이 식탁에서 각각의 맛을 뽐냈다. 빨간 김치와 달작지근한 연근무침이 작은 접시에 가지런히 담겨 있었다. 아기 살결처럼 속이 보들보들한 계란말이와 아이 손바닥만 한 크기의 부침개도 있었다. 아직도 하얀 김이 폴폴 나는 흰 쌀밥은 밥그릇에 고봉으로 담겨 있었고, 누구나 좋아할 법한 사각형 모양의 까만 김도 존재감을 드러냈다. 파리의 식탁은 나를 하룻밤새에 한국으로 순간이동 시켜 놓은 것처럼 묘한 기분을 들게 했다.

"어서 앉아요. 나가기 전에 든든하게 아침 들어요."

그녀는 마치 한국에 계신 어머니가 늘 하시던 말씀을 그대로 했다. 그도 그럴 것이 그녀도 생김새와 말투는 영락없이 한국사람이었으니 말이다. 혹시나 그녀의 억센 우리말 억양에서 중국 동포가 아닌가 생각했지만 그녀는 한반도에서 태어난 사람이라고 자신을 소개했다.

"그럼 고향이 어디세요?"

나는 따뜻한 밥그릇을 난로 삼아 두 손으로 감싸며 그녀에게 물었다. 그러자 그녀의 입에서는 뜻밖의 대답이 튀어나왔다.

"고향은 북쪽이에요. 함경도요."

우리 어머니의 연세보다는 조금 들어 보이는 그녀의 목소리는 모든 감정을 걷어낸 채 덤덤했다.

"아, 그러세요? 그런데 어떻게 프랑스까지 오게 되셨어요?"

그러자 그녀는 자신의 이야기를 하기 시작했다. 함경도에서 태어난 그녀는 할머니를 따라 북한을 탈출하였고, 이후 할머니와 중국을 거쳐 흘러 흘러 아프리카 가봉까지 가게 되었다고 했다. 그곳에서 할머니를 여의었다. 서아프리카에 위치한 가봉에서 프랑스말을 배웠고, 가정부로 일하며 살다가 새로운 삶을 찾아 프랑스 본토로 건너왔다고 했다.

　짧게 들었는데도 그녀의 인생 스토리는 파란만장했다. 2시간짜리 시대극을 본 것처럼 그녀가 태어났던 나라, 그러니까 내가 태어난 땅이기도 한 한반도에서부터 삼엄한 중국 국경을 넘어 머나먼 아프리카 대륙에 도착하기까지의 삶이 그녀를 실제로 마주하고 있는 나에게는 너무도 비현실적으로 다가왔다. 그녀에게 이제 프랑스가 또 다른 고향이 된 셈이다. 그녀의 조국은 여전히 자유의 문을 닫고 있는 곳이어서 그곳으로의 귀향을 생각할 수 없을 것이다. 그리고 언젠가 프랑스 땅 어딘가에 홀연히 묻히게 될 게 분명하다.

　여행은 비단 돈이나 시간이 넉넉한 사람들의 전유물은 아니다. 민박집 주인아주머니처럼 단 한 번도 스스로 택한 적이 없어도 정치적, 시대적 강요에 의한 고된 고행의 시간이 될 수도 있다. 그녀의 이야기를 듣고 나니 나는 함부로 '삶은 곧 여행이다' 라는 말을 꺼낼 수 없을 것만 같다. 동시대 여행자들이 떠들어대는 시시콜콜한 이국의 낭만과 새로움들이 그녀에게는 목구멍에 걸린 오래된 사과처럼 거북하게 들릴지도 모른다. 그리움이란 단어조차 그녀의 마음에선 어떤 언어로도 쉽게 번역되지 않을지도 모른다. 여행자의 입장에서 삶이 여행이라면 그녀는 도착점이 소실된 여행을 하고 있는 것이 아니겠는가. 그것은 잔혹하면서 폭력적인 한반도의 현실이고, 잠시 잠깐 유럽이나 일본, 동남아시아의 어디쯤으로 휴가나 배낭여행을 떠나는 것이 자신의 고토(故土)를 타의에 의해 영원히 떠나온 누군가에게는 도피나 유약한 사치쯤으로 보이지 않을까. 여행도, 인생도 모두 길 위에서 이어지는데 흔적없이 소멸된 길도 있을 수 있다는 것을 내 앞에 있는 그녀의 눈빛이 똑바로 이야기하고 있었다.

'이놈의 집구석, 내가 다시 돌아오나 봐라.'

콧구멍을 벌렁벌렁, 입술을 씰룩쌜룩 씩씩대며 길을 나섰던 여행자들의 대부분은 결국엔 자신이 증오했던 '그

집'으로 되돌아온다. 집 밖의 적박함은 그런 집구석조차 눈가를 촉촉하게 적시는 아련함을 선사하기 때문이다. 그런데 길 없는 길에 있는 자들은 그마저도 생각할 수 없는, 깊이를 가늠하기 어려운 슬픔에 고향을 묻는다.

그녀는 집으로 가는 길을 잃어버렸다. 아니, 기억에서 영영 잊어버렸는지도 모르겠다. 할머니와 살던 그 집을, 그래서 그녀는 혹 시대와 역사로부터 방치된 여행자는 아닐는지……. 그리고 어쩌면 그녀와 같은 처지의 사람들에게는 국적과 국경이라는 것의 경계와 의미는 너무도 희미한 과거로 정의되고 있지는 않을까.

귀국

흥분을 가라앉히고, 두려움에 동요하지 않아야 하는 일. 돌아온다는 것은 그런 것이다. 비행기는 당신을 정확한 시간에 보딩패스에 적힌 약속된 공항으로 안내할 것이다. 비행시간이 항상 똑같이 지켜지는 것은 아니지만 대부분은 어김없이 당신이 와야 할 곳으로 다시 돌아오기 마련이다. 설마 당신이 그것을 원하지 않는다 하더라도 한 사람만을 위한 장거리 비행기는 흔치 않다. 당신은 혼자 때로는 누군가와 함께 여행의 끝을 향해 달려갈 것이다. 그 길은 영공을 떠도는 비행기의 길처럼 불분명하다. 구름 위 가상의 수많은 선으로 이루어진 길을 따라 비행하는 여객기처럼 우리의 인생도 그런 길을 가고 있다.

이제 비행기는 활주로에 착륙을 시도한다. 옆 사람 얼굴에 묻어나는 약간의 긴장과 비행기 바퀴가 지면을 닿을 때 생기는 파열음이 당신의 고막 속을 파고들며 서툰 환영인사를 건넬 것이다. 당신은 그렇게 고향으로 돌아왔다. 친구의 외로운 술잔 속으로, 환갑이 지난 어머니가 애지중지하는 막내아들로, 못 본 사이 초등학생이 된 조카의 철없는 외삼촌으로 돌아온 것이다. 어쩌면 지구 반대편에서 누군가를 등진 못된 남자로, 적도의 현실을 내팽개쳐 두고 도망 온 비겁한 사람으로 기억될 수도 있다. 떠나온 도시의 언어를 그리워하는 지나친 감성주의자일 수도 있다. 무사한 귀국을 몸서리치게 불편해하는 타고난 원더러스트(WanderLust)일지도 모른다.

그나저나 정말 돌아온 것일까?

몸이 돌아왔다고 정말 돌아온 것이라
고 말할 수 있을까?

　몸과 마음이 물과 기름처럼 쉽게 분리되는 레고 블록으
로 느껴지는데도?

먼 곳에서 돌아왔다는 것은 어떤 의미
인가, 당신과 당신 주변에게.

이륙한 적 없는 착륙

레이디스 앤 젠틀맨……,
레이디스 앤 젠틀……,
레이디스 앤……,
레이디……제늘매앤…….

　비행기 안의 승무원은 수화기를 들고 무언가를 말하려
고 머뭇거린다. 그(녀)는 오늘이 자신의 첫 국제선 비행근
무일지도 모른다. 사람들은 그(녀)의 목소리에 무관심하다.
주황색 터번을 두른 옆좌석의 인도인은 무거운 머리를 허
공에 떨구며 잠에서 깨어날 기미가 보이지 않는다. 창백한

얼굴의 여자는—*아마도 동유럽 사람처럼 보이며, 붉은 끼 가득한 머리카락을 가지고 있다.*—어깨까지 내려오는 긴 머리를 한껏 틀어올려 동그랗게 말아 정수리에 묶는다. 대각선 건너편의 흑인 남자는 고불고불한 머리카락과 그보다 더 고불고불한 턱수염 위 두툼한 아랫입술을 연신 매만지며 승무원의 입술에 주목한다.

우리는 모두 같은 기내에서 숨을 쉰다. 우리를 태운 비행기가 활주로를 떠났는지, 아직 달리고 있는지, 여전히 움직이지 않는지 알 수 없다. 짐칸에는 각양각색의 가방들이 각자의 여행에 필요한, 또는 여행지에서 가져온 물건들로 가득 차 있다. 눈이 침침한 노인이 입국카드를 쓰기 위해 열심히 카드의 빈칸을 들여다본다. 결국 창가 쪽에 앉은 젊은 청년에게 도움을 청한다. 부부로 보이는 중국인은 시끄러운 말소리와 기괴한 웃음소리로 기내를 어지럽힌다. 한 백인이 불쾌감을 드러내며 눈을 흘기지만 승무원은 다른 승객들의 불만을 알아차리지 못한다. 그러는 동안 비행기는 움직일 듯, 움직인 듯 여행자들을 적당한 긴장감 속으로 몰아세운다.

우리가 탄 비행기는 어디로 가는 것일까? 노르웨이 사람의 도착지는 치앙마이를 가리킨다. 일본인의 여권에는 아직 브루나이에서 찍힌 입국비자 도장이 선명하다. 파푸아 사람의 출발지는 반다아체에 머물러 있다. 호주 여자는 이번 휴가를 발리와 롬복에서 보낼 예정이다. 우리의 방향은 모두 달랐다. 출발지도, 목적지도……. 아마도 그래서 비행기는 이러지도, 저러지도 못한 채 활주로만 빙빙 돌고 있던 것이었을까.

끝

  '끝'. 사전적 의미로는 시간, 공간, 사물 따위에서 마지막 한계가 되는 곳을 일컫는 말이다. 나는 문득 그곳에 무엇이 있을까, 어떤 날의 끝을 만날 수 있을까에 대한 궁금증이 일었다. 그래서였을까, 땅끝 어딘가에 있을 꿈속 노스탤지어를 찾아서 먼 남쪽으로 이끌려갔다. 혹시나 나의 잊힌 꿈이 거기에 있지는 않을까 하는 괜한 기대와 아직 만나지 못한 진실한 사랑을 찾을 것만 같은 대책 없는 낭만을 품고서 말이다. 나는 지극히 사적인 욕망들을 끌어안고서 그 끝에 섰다. 결론부터 말하자면, 국경의 끝은 생각보다 초라했다. 내륙에서 상상할 땐, 영원히 닿지 못할 것 같은 원대한 거리감이 느껴졌지만 정작 그 끝에 서 보니 정말 이것이 끝인가 라는 생각이 들 뿐이었다. 어쩌면 나는 제대로 된 끝을 보지도 못하고 지나쳐왔는지도 모르겠다.

그럼에도 끝은 분명히 존재했다. 지리적으로 말이다. 하지만 감사하게도 여행자에겐 끝이라는 것이 따로 존재하지 않았다. 지도상에 표시된 몇 개의 끝을 모든 이들에게 동일하게 적용하기는 어려운 법이니까. 새로운 곳에서 마주하게 되는 끄트머리는 마지막이 되기도 하고 반대점까지 연결하는 시작점이 되기도 한다. 한반도의 땅끝마을 해남에서 '세상의 끝' 중 하나라고 하는 이베리아 반도 포르투갈의 호카곶까지 도달한다 해도 그것을 끝이라고 섣불리 말할 수 없다. 그 어떤 사랑도 이별을 빌미로 하나의 사랑이 완전히 종결되었다고 선언할 수 없는 것처럼 말이다. 수십억 개의 사랑으로 이루어진 세상은 '끝'이라는 말로 정의하거나 속단할 수 없는 거대한 길과 그 위에 촘촘히 세워진 여행자의 발자국으로 연결된 것이다. 그곳은 집으로 돌아오는 길의 시작이 될 것이며, 땅과 하늘로 이어진 수많은 국경을 넘기 전에 시작되는 처음일 수도 있기 때문이다. 그래서 여행자에게 있어서 처음은 설렘으로 존재하나 끝은 영원히 존재하지 않는 미지의 공간 어디쯤이다.

"다시 갈 거야?"

"어딜?"

"어디든."

"음, 글쎄……."

"고향으로 돌아갈 생각은 있는 거야?"

"음, 그것도 잘 모르겠는데. 진지하게 생각해 보지 않았
거든. 넌 어때?"

"난 아무 데도 가지 않아. 너도 알잖아. 왜 나한테 그런
걸 묻는 거야?"

"아니, 너에 대해서가 아니고 나에 대해서. 넌 내가 다시
어딘가로 떠나버렸으면 좋겠어?"

"아, 아니라고 말하고 싶지만 네가 어딜 가든 마지막엔
다시 여기로 돌아왔으면 해."

"흐음, 내 생각도 그래. 언젠가는 여기 섬으로 다시 돌아올 것만 같은 느낌이 들어."

"고마워, 그렇게 말해줘서."

"그렇게 생각해 줘서 나도 고마워."

둘의 대화는 그렇게 끝이 났다. 그러는 사이 발걸음은 어느새 우리가 알아차릴 수 없는 어딘가로 향하고 있었다.

바퀴 없는 비행기

"한국에 오니 어때?"

3년 만에 만난 친구가 물었다.

"좀 불편하지만 나쁘지 않아."

나의 대답은 언제나 건조하고, 냉소적이다.

"어떻게 3년이나 돌아오지 않았어? 한국이 그립지 않았어?"

친구는 신기한 듯 동그란 눈을 더 크고, 동그랗게 뜨고
서 내게 물었다. 나는 씨-익 웃었다.

그리움

타국 혹은 타지에선 누구나 그리움이라는 감정을 품기
마련이다. 고국에 대한 향수, 집에 대한 안락함, 집밥에 대
한 포만감 같은 것 말이다. 그리움은 때론 외로움이라는
단짝친구를 대동하고 여행자의 마음을 노크한다. 짧지만
시리게 지속되는 감정의 열병은 향수병이라는 치명적인
질병의 씨앗으로 잉태되어 심장 정중앙에서 재배된다. 그
리고 어떤 사람은 그것을 견뎌내기도 하고, 어떤 사람은
병의 치료를 위해 고국으로 돌아가기도 한다. 나는 그리움
을 좋아한다. 외로움이 낯설지 않다. 신에게로부터 인간에
게 부여된 모든 감정과 호흡한다.

- 타국에서 혼자 외롭지 않느냐.
- 가족이 그립지 않았느냐.

나는 이런 종류의 바보 같은 질문을 종종 받는다. 그리고 답한다.

- 외롭다.
- 왜 그립지 않겠느냐.

하지만 그뿐이다. 외롭다고 닭똥 같은 눈물을 흘리고만 있을 순 없다. 세상에는 운다고 해결될 일이 많지 않다는 것을 알만한 나이가 되었다. 혹여 해결되는 일이 있다 해도 순간일 뿐이다. 가족 곁으로 돌아온다고 세상의 모든 그리움이 희석되는 것은 아니다. 외로움이라는 감정도, 그리움이라는 감정도 고국과 이국을 가르는 바람과 파도처럼 한낱 작은 찰나에 지나지 않는다.

외롭지 않다고 말한다면 거짓이다.
그립지 않다고 말한다면 오만이다.

사람은 누구나 외로운 존재다. 설령, 쌍둥이로 태어난다 하여도 개인의 영역에서 인간은 외로움이라는 상처에 쉽게 금이 가는 '알'을 품는다. 알은 스스로 쓰러지지 않으려고 무진 애를 쓴다. 오히려 한바탕 깨어지면 속이라도 시원할 텐데, 그럴 용기도 없는 것이 매번 안타깝다.

사람은 평생 누군가의 체취를, 삶에서 각인된 어떤 기억과 추억을 그리워하는 존재다. 어린 날 봄소풍과 가을체육대회를, 친한 친구와의 이별을, 짝사랑에게 전하지 못한 마지막 손편지를, 군시절 선임의 짓궂은 장난을, 공항에서의 마지막 배웅을 그리워한다.

하지만 단순히 '돌아왔다'는 말로
외로움을 소멸시키고 싶지 않다.
그리움을 품절시키고 싶지 않다.
그것은 그저 저 자리에서 이 자리로 우리와 함께 이동했을 뿐이니까.

그렇게 바퀴 없는 비행기처럼 인간의 감정도 대기 중을 끝없이 이동한다.

추신: 환승터미널에서

"이제 한국에서 일정은 어떻게 되는 거야?, 무슨 계획이라도 있어? 아님, 또 나갈 생각이야?"

3년 만에 재회한 J와의 대화는 그렇게 시작되었다. 돌아온 여행자의 불안을 일시적으로 덮거나 다가올 새로운 역마살을 감지하기라도 한 것처럼 그녀는 궁금한 것이 많았다.

"글쎄요. 아직 잘 모르겠어요."

나는 수줍은 웃음과 퉁명한 대답을 던졌다.

"그래도 돌아와서 책도 내고, 부럽다."

J는 그러면서도 군대 간 지 1년이 넘은 아들 걱정을 하는 평범한 아내이자 엄마였으며 이따금씩 놓았던 붓을 잡고 다시 그림을 그리기 위해 캔버스 앞에서 백색의 공포와 시름하는 화가였고, 대학시절 나를 가르쳤던 그중 몇 남지 않은 사제지간, 아니 이제는 '동료'라는 말이 더 어울리

는 사람이었다. 학교 밖에서 우리는 생각보다 말이 잘 통했다. 말보다는 그 '생각'이라는 것이 잘 통하는 '관계'였다. 생각이 같아서가 아니라 달라도 서로를 인정하고 존중했기에 십 년 가까운 시간을 연락하며 스스럼없이 지낼 수 있었다. 과거에 누가 누구를 가르쳤다거나 그 시작이 어땠다거나 하는 것은 큰 의미가 없는 그런 사이였다. 서로 다른 말을 하고 있어도 어떤 방향으로 대화가 흘러가는지 짐작할 수 있었다.

J는 항상 많은 조언을 아끼지 않았다. 내가 멀리 타국에서 지낼 때도 한국의 봄소식이며, 가을 단풍이 옷을 바꿔 입는 계절의 변화를 알려주는 전령 역할을 하기도 했다. 그녀의 작업실 주변으로 피어난 꽃의 종류를 보면 고국의 봄내음이, 적도와는 사뭇 다른 느낌의 여름이, 가을의 고독이 찌릿하게 내 옆구리를 꼬집곤 했다. 그녀가 살고 있는 집 주변으로 수북이 쌓인 눈을 보고 여전히 추운 겨울을 보내고 있겠거니 생각했다. J는 그렇게 몇 장의 사진과 몇 줄의 핸드폰 문자로 멀리서나마 사계절의 향수를 느낄 수 있게 해주었다.

몇 해 전, 한국에서 잠시 시간을 보내고 다시 길을 떠나기에 앞서 나는 J를 인사동에서 만난 적이 있다. 살갗을 가

시처럼 파고드는 1월의 인사동엔 오가는 이들이 거의 보이지 않았다. 저녁으로 막걸리를 몇 잔 나누어 마신 우리는 인사동 돌길 위에서 헤어짐의 인사를 나누었다. 그녀는 먼 길을 떠나는 내게 존 케루악이 쓴 '길 위에서(On the Road)'라는 책을 선물했다. 책을 받아 들고 한참 후에야 읽었는데 그때도 여전히 나는 인도네시아의 어느 도시에서 한창 불타오르는 오후의 태양을 피해 '길 위'에 있었다.

우연이었을까, 운명이었을까.

나는 돌아가는 길을 알면서도 돌아가지 않는 청개구리처럼,

나침반으로는 방향을 알 수 없는 길을 찾아 오래도록 서성거렸다.

"글을 쓰는 사람들은 보통 여행을 많이 다니잖아. 몇 달씩 어딘가를 여행하고 와서 거기에 대한 글을 쓰기도 하고, 꼭 무언가를 하지 않더라도 앞으로의 작업에 필요한 영감을 받는 모습이 참 좋아 보여."

J는 쉽사리 어딘가로 떠나지 못하는 자신의 현실을 다른

이에게 빗대어 말했다.

"글쎄요. 그게 그렇게 좋은 건지는 잘 모르겠어요."

나는 또 뭉뚱그려 직답을 피했다.

"물론 너처럼 몇 년씩 한 곳에 있다가 와서 책을 내는 경
우도 드문 일이긴 해. 요샌 모든 게 너무 빨리 변하는 시대
잖아. 그림도, 글도."

나를 스쳐 간 것이 부러움이었을까. 그녀의 눈빛은 다른
공간, 다른 공기 속으로 들어가기 전 망설임과 그것을 조
금이라도 경험해 본 상대방에 대한 선한 질투 같은 것을
적절히 담고 있었다.

"그래서, 이제 또 어디로 갈 거냐고."

쌉싸름한 에스프레소가 다 식기도 전에 그녀는 똑같은
질문을 던졌다. 한국으로 이제 막 돌아온 나는 마치 조만
간 어디론가 다시 떠나야 할 것만 같았다. 돌아왔다는 것

을 실감하지 못하고 있을 즈음, J의 질문은 나로 하여금 다 마치지 못한 여행의 마지막 종착지로 향하기 전, 환승역에 서 머뭇거리고 있는 낯선 그림자를 발견하게 했다. 어쩌면 그녀는 나를 또 다른 길 위로 내몰고 싶었을지도 모른다. 그리고 그곳은 자신이 아직 내딛지 못한 세상이었을지도. 그녀를 만난 후, 서울에서 어디로 가야 좋을지 알지 못하 는 어느 시골청년의 방황하는 눈빛이 아직 내 뒤에 머물러 있었다. 그리고 문득 스쳐 가는 한 문장,

그렇다면 도대체 또 어디로 간단 말인가![8]

착각

한 달은 얼마만큼의 시간일까. 일 년 중의 한 달은 2월 을 제외하고 보통 30일에서 31일이다. 30일로 어림잡아 계산하면 모두 720시간으로 이루어져 있다. 720시간이 면 서울에서 유럽 주요 도시로 가는 12시간짜리 직항비행 기를 60번 타고 내렸다 할 수 있는 시간이다. 그것은 또, 43,200분으로 환산할 수 있는데 어느 광적인 축구팬이

---

8) 1987년 발표된 기형도의 시 「여행자」의 마지막 구절.

90분짜리 축구경기를 480번 시청할 수 있는 어마어마한 시간이다. 그런 시간을 우리는 잘 활용할 수도 있고, 의미 없이 흘려보낼 수도 있다.

한 달 동안 우리는 무엇을 할 수 있을까. 손재주가 좋다면 키우는 애완견의 집을 만들 수 있다. 매일 피자를 먹는다면 질릴 수도 있다. 인공조미료가 가득 든 라면을 먹는다면 건강이 안 좋아질 것이다. 사람들은 거의 매일 아메리카노를 손에 들고 출근한다. 회사원이 보통 하루 3잔의 커피를 마신다고 가정하면 한 달 동안 약 90잔의 커피를 마시게 된다.(휴일엔 집에서 마실 테지만.)

일반적으로 하루 중 3분씩을 할애하여 두 번의 양치질을 한다고 생각하면 한 달 동안 우리는 180분을 투자하여 총 60번의 양치질을 하는 셈이다. 그리고 그 180분은 3시간으로 환산되며 3시간은 DVD방에서 안젤리나 졸리와 콜린 파렐이 열연한 영화 '알렉산더(Alexander)'를 끝까지 보고도 5분이나 남는 매우 긴 시간이다. 5분은 농구경기에서 한 쿼터의 절반으로 흔히들 평생과 맞바꿀 수 있는 플레잉타임이라고 감독들은 이야기한다. 3시간은 또 한국사람이 평균적으로 하루에 스마트폰을 사용하는 시간이기도 하다.

한 달은 그렇게 우리 생활에서 많은 것을 할 수 있는 짧지 않은 시간이다. 하지만 여행이라는 상황에 대입해 본다면, 한 달은 쏜살같이 지나가는 제다이의 광선검처럼 빠르다. 하루 한 번씩 정해진 시간에 느끼한 햄버거를 먹을 수 있다면 영국생활은 나쁘지 않을 것이다. 그러나 파리나 도쿄의 복잡한 지하철 노선에 익숙해지는 데만 보통 사흘이 걸린다. 길치에 방향치라면 그 시간은 더 늘어난다. 어쩌면 여행을 마칠 때까지 적응을 끝내지 못할지도 모른다.

그런데 사람들은 왜 꼭 한 달만 살고 싶어할까. 타국에서의 일주일은 좀 아쉽고, 두 달은 너무 지루할 것이라고 생각해서일까.

그들은 파리의 화창한 아침, 노천까페에서 평소엔 잘 마시지도 않는 에스프레소를 마시면 마치 진짜 파리지앵이라도 된 것처럼 생각하는 것일까. 런던에서 건널목을 건너기라도 하면 비틀즈의 후예라도 된 것으로 생각하는 것일까. 뉴욕의 푸드트럭에서 웬만한 아이 팔뚝만 한 핫도그를 들고 걸으면 정말 뉴요커의 일상으로 들어갔다고 믿고 싶은 것일까. 그들은 아마 지루한 여행을 생각해서 준비해 간 몇 권의 책을 탐독할 수 있을지도 모른다. 하지만 그것도 자신이 현재 지루하게 생각하는 여행에 관한 책일 테지만. 몇몇은 이렇게 말할지도 모른다.

- 나의 이탈리아말을 원어민에게 시험해 보고 싶었어요.
- 뉴요커들의 영어는 정말 빠르더라고요.
- 태국 웨이터에게 한국 동전을 선물했어요.
- 거리의 인도네시아 어린이에게 약간의 돈을 주었어요.

벨파스트에서의 한 달은 적요하고, 음침한 날씨와 맞닥뜨렸다. 비가 자주 내리고 시내로 가는 길을 걸을 땐 물웅덩이에 빠지기도 하였지만 정작 벨파스트 사람들은 따로 우산을 가지고 다니지 않았다. 내리는 비와 불어오는 바람을 온몸으로 맞았다. 그래서 나도 그들처럼 우산을 사용하지 않았다. 한국에서 가져간 우산은 그대로 숙소에 내팽개쳐 두었다.

비 오는 저녁, 펍(Pub)에 들어가면 사람들은 날씨가 맑은 날보다 더 왁자지껄하게 마시며 술에 취해 있었다. 마치 하늘의 회색 먹구름으로부터 자신들의 일상을 지키는 기사(騎士)라도 된 것 같았다. 내 겉옷에 묻은 빗방울이 타인의 구두 위에 떨어져도 그는 아무렇지도 않은 듯 어디서 왔느냐며 1파인트짜리 생맥주잔을 살짝 앞으로 들어 올려

멀리 동양에서 온 여행자를 환대해주었다.

인도네시아에서의 한 달은 무더위에 지쳐 있었다. 생전 처음 맞이하는 다른 차원의 공기와 태양의 기습공격에 에어컨이 있는 허름한 호텔을 떠나지 못한 때도 있었다. 그래도 걸어보기로 작정했다. 일본제 오토바이와 매연 냄새가 가득한 비포장도로를 걷고 싶었다. 정작 인도네시아 사람들은 걷기 싫어하는 그 길을 걸었다.

"신(Shin)!, 이렇게 더운데 왜 걷고 있어? 어디 가는 길이야? 내가 태워다 줄게."

차를 몰고 가던 뿌리얀또(Puryanto)가 땡볕에 걷고 있는 나를 발견했다. 그는 차창을 내리고 말을 붙였다.

"괜찮아. 아무 데도 가지 않아. 그냥 좀 걷고 싶어서."

나는 이마의 땀을 그을린 팔뚝으로 연신 닦아내며 그에게 말했다.

"정말이야? 너 제정신이야? 그래도 오늘은 너무 더운

데……."

그가 눈을 동그랗게 뜨고 재차 물었다.

"인도네시아는 원래 덥잖아. 내일도 아마 오늘이랑 똑같이 더울 거야."

나는 웃으며 답했다.

그는 나를 정신 나간 사람쯤으로 생각했을 것이다. 그래도 길에서 만나는 풍경이 여전히 새롭다. 여행의 일상에서 경험하고자 하는 모든 것이 소중하다. 여행은 다른 이에게 호기롭게 자랑할 만한 것이 되지 못한다. 각자의 여행에는 모두의 어머니가 다른 것처럼 다양한 이야기가 있기 때문이다. 밀라노에 가 보지 못했다고 해서 촌스러운 것은 아니다. 자신의 품격이 남들에 비해 떨어질 거라는 걱정은 하지 않아도 된다. 아프리카에 가 보지 못했다고 해서 가난을 모르는 것은 아니다. 그들에게 옷을 벗어줄 여유가 있을지언정, 마음의 궁핍은 무엇으로도 덮을 수 없을 때가 더 많다.

어딘가에서의 '한 달'은 그곳을 다 보았다고 말하기에는 한참 부족하다. 몇 장의 사진으로 마치 다 본 것처럼 묘사하는 것은 그곳을 터전 삼아 살아가는 사람들에 대한 기만이다. 그렇다고 적당한 여행의 방법을 제시하는 것도 가당치 않다. 낯선 장소에 대한 아는 체는 개인의 체험을 넓혔다는 것에 대한 최소한의 자기만족이지 않을까 싶다.

중간기착지에서의 짧은 대화

"벌써 한국에 도착한 거야?"

"아니, 아직."

"그럼 지금 어디쯤이야?"

"자카르타. 몇 시간 후에 쿠알라룸푸르공항에서 하룻밤을 보낼 거야."

"아직 한참 남았네. 한국까지 몇 시간 걸리는 거야?"

"하루 반나절쯤."

"그렇게나 오래 걸려?"

"벌써부터 당신이 보고 싶어."

"나도."

"곧 잊히겠지?"

"아마도."

"금방 잊을 거야?"

"그러지 않았으면 좋겠어."

"응, 꼭 다시 만나길 바랄게."

"그래, 공기 중 어디에서든."

새로운 길의 다정한 동행

— 신정근×Dg. Tarru의 『비행소년』

소종민

문학평론가

　여행은 흔히 성장(成長)과 결부된다. 견문(見聞)이 넓어야 사람대접을 받곤 한다. 코로나19 이전엔 웬만하면 누구나 해외 나들이를 했다. 노년에서 유년까지 해외 한두 번 나가보지 못한 사람을 찾아보기가 힘든 세상이었다. 그런데 이젠 언제 어느 곳으로 출국하기란 쉽지 않다. 간신히 비행기를 타고 해외에 나가더라도 그곳에서 짧게는 2주 동안 격리되어야 하고, 돌아와서도 그 정도 기간을 제한된 장소에 머물며 열 체크를 비롯한 건강 상태를 매일같이 확인받아야 한다. 지금껏 주로 국내에 있었거나 여행에 특별한 재미를 느끼지 못하는 이들에겐 무관한 일일지 모르나, 여행이 삶의 한가운데 놓여 있는 이들에겐, 그리고 여행을 매개로 생계를 이어온 이들에겐 치명적인 상황이 되어버렸다. 우리는 다시 예전처럼 여행할 수 있을까?

> 나는 웨이트리스였고 고급 호텔의 청소부였고 유모였다. 책을 팔기도 했고 표를 팔기도 했다. 작은 극장에서 한 시즌 동안 의상팀에 고용된 적도 있는데, 그때 나는 무대 뒤에서 무거운 의상과 새틴으로 만든 망토, 그리고 가발 들에 둘러싸여 추운 겨울을 났다. 학업을 마치고 난 뒤에는 교사로 일하기도 했고 재활 상담사로 근무하기도 했으며 최근에는 도서관에서 일했다. 약간의 돈이 모이면 곧바로 여행길에 올랐다.(올가 토카르추크, 『방랑자들』(민음사, 2019) 22쪽.)

이 사람에게 여행은 '자유의 형식'이다. 위 진술이 현시점의 것이라면 이제 그녀는 '자유'를 행사하기 힘들게 되었다. 지금 우리가 어떤 처지로 되었는지 아직은 실감이 없다. 하지만 앞서 말한 바와 같이 여행이 곧 자유이고, 실존이며, 삶의 이유였던 이들이라면, 이들이 겪고 있을 절망감은 얼마나 클지. 이 좌절은 곧 일반화되리라. 이 사람에게 여행을 대체할 수 있는 사건이 있을까? 『비행소년(飛行少年)』의 작가에게 묻고 싶다. 지금 어떤 심정인지, 지금 어떻게 지내는지.

*

『비행소년』은 작가의 자전소설(自傳小說)로 읽힌다. 책의 머리말에서 작가는 이렇게 말한다.

> 그는 거기에 있었다. 지금은 거기에 없다. 그림자도 남기지 않았다.
>
> 그는 여기에 있다. 하지만 존재한다고 말할 수 없다.
>
> 그때 거기에도 있었고, 지금 여기에도 있다.
>
> 돌아온 것일 수도, 돌아갈 수도 있다.
>
> 그에게 여행은 아직 끝나지 않은 방학숙제다.

'거기'는 작가에게 다시 가야 할 곳이다. 지금은 거기에 없고, 여기에 있다. 하지만 그는 지금 '있다'고 할 수 없다고 말한다. 어째서 그런가? 단서는 네 번째 줄이다. 그는 "돌아온 것일 수도, 돌아갈 수도 있다"고 말한다. 그는 A지점이나 B지점에 오래 머무는 삶이 익숙하지 않다. A로 오고 다시 B로 가는 길, B로 오고 A로 다시 가는 길 위에서

만 그는 진정으로 '있기' 때문이다. 아마 그에게 여행은 끝나지 않을 숙제일 뿐만 아니라 끝내고 싶지 않은 운명이리라. 『비행소년』은 그러한 그의 흔적(痕迹)이다. 그가 걸어가고 걸어온 삶의 궤적(軌跡)이다. 그는 스스로 이렇게 답한다. "여행은 담백한 삶을 고스란히 닮아간다. 삶은 여행일수도, 일상일 수도, 이상일 수도 있다. 마침내 삶은 그저 하나의 이름으로 태어나고 죽는 상황의 반복"이라고.

*

소설 『비행소년』에는 아주 많은 사람들이 등장한다. 먼저 중심인물 '신(Shin)'의 곁에 있는 사람들이 있다.

카자흐스탄 출신의 사비나, 인도네시아 친구 푸옹, 리스카, 루마니아 출신 니꼴레다, 나츠카, 울산의 B, 미스터 리, 프랑스 사람 샬롯, 소설 쓰는 자카르타의 아무개씨, 수년간 인도네시아 체류 생활을 마치고 한국으로 돌아간 서울에 사는 B씨, 터키여자 E, 끈다리 출신으로 싱가포르에서 10년째 가정부로 일한 S, 바루 출신 H, 매년 마카사르에서 문학페스티벌을 열었던 술라웨시 출신 L, 다정한 친구 이맘, 그의 아버지 무스타만, 어머니 파티마, 마카사르의 사

진작가 소피얀, 파리 민박집 아주머니, 뿌리얀또, 그리고 3
년 만에 재회한 J 선생님 등등.

이 사람들은 '신'과 가까운 사람들로서 그를 이해하고 사
랑한다. 서로 인생 상담을 주고받는 친구들이고 연인이고
동료들이다. 그리고 빼놓을 수 없는 한 사람. 그이는 '신'의
연인이었으나 아프게 헤어졌다. 잊을 수 없는 이름이리라.
그러나 '신'은 이들을 어떻게 알게 되고, 어느 정도 함께 지
내고, 언제 헤어졌는지 일일이 다 밝히진 않는다. 문자 너
머의 관계들일 것이며, 이후 다시 쓰게 될 작품에 몇 번이
고 다시 등장할 사람들일 것이다. '신'의 기억 속에 오래 살
아 있고, 또 살아 있을 사람들일 것이다.

또한, 오고 가는 도중에 스쳐 지나가는 사람들도 있다.
도쿄를 거쳐 남반구의 뉴질랜드로 가는 길인 여학생, 국
제선 출국장의 사람들, 비 때문에 더 초라해진 우에노 공
원의 갈 곳 없는 노인들, 한큐 전철역을 빠져나가는 샐러
리맨들, 카페와 빵집을 드나드는 사람들, 교토에서 본 게
이샤일지도 모를 여자들, 인파들, 오사카의 강변을 지나
는 교복 입은 학생들, 발리의 우붓으로 가는 길을 함께 동
행한 브라질 친구, 열차 창가 쪽에 앉은 남자, 대각선 너머
노트북을 켜고 연신 자판을 두들기는 여자의 뒷모습, 울산

태화강역에서 탑승한 노부부, 비행기 안의 승무원들, 주황색 터번을 두른 옆좌석의 인도인, 동유럽 사람인 듯 붉은 머리카락에 창백한 얼굴을 한 여자, 대각선 건너편 좌석에 앉은 흑인 남자, 눈이 침침해 보이는 노인, 부부로 보이는 중국인 남녀 등등. 이들은 열차에서, 비행기에서, 터미널에서, 길을 걷다가 만난 이들이다.

이들을 스케치하며 '신'은 궁금하다. 곧 서로 다른 길로 접어들어 어쩌면 두 번 다시 만나지 못할 이 사람들은 과연 누구인가? 서로 벗이 되고 연인이 될 인연은 맺지 못하였으나 이 사람들은 과연 '나'에게 무엇인가? '신'은 그게 궁금하다.

길 위에서 만났던 사람들의 눈빛이 기억에 남는다. 파란색, 갈색, 검정색의 동자들이 눈에 아른거린다. 그들은 어떤 사랑과 이별을 지나쳐왔을까. 어떤 이별들이 그들을 가장 슬프게 했을까. 또 어떤 눈물과 이별하며 떠나왔을까. 저 멀리서 어깨만 부르르 떨며 소리 없이 흐느끼는 그녀의 모습이 그려지는데도 나는 아무렇지 않게 이국의 반대편 밤을 지난다.(『비행소년』 79쪽 * 이하 쪽수만 표기)

그녀와의 이별을 아프게 더듬으며 '신'은 길에서 스쳐 지
나간 사람들의 눈빛을 상기(想起)한다. 그들에게도 아프고
기쁜, 아무렇지도 않고 슬픈, 저마다의 사연, 저마다의 인
생, 저마다의 여행이 있을 것을 안다. '신'은 이들에게서 자
기 자신을 느낀다, 나와 다르지만 한편 나와 다르지 않다
는 것을. 이들은 곧 '나'이며, '나' 또한 이들임을 감지하는
것이다.

*

기억은 불완전하다. 기억에는 끊어진 데가 꼭 있고, 이
상하리만치 덧붙여진 데도 있다. 오래도록 그렇게 알고 있
었던 게 사실은 그렇지 않았다고 밝혀진다. 그날 그 자리
에 없었던 게 분명한데, 그 자리에 그 사람이 있었다고 한
다. 기억을 보완할 증거물이 필요하다. "여행자가 기억하
지 못하는 어떤 하루, 어느 목요일, 모월, 모년의 일들을
영수증은 또렷이 기억한다. 빡빡한 일정에 어딘가에서 누
군가와 주고받은 영수증에는 불특정한 인물과 나의 지문
이 함께 묻어 있다. 영수증의 여백은 조용히 그 정체를 숨
기고 있다."(96쪽)

『비행소년』의 작가는 기억의 한계를 잘 알고 있다. 그래서 그는 여권의 스탬프를 유심히 살피고, 영수증과 티켓과 스티커를 반드시 모아둔다. 그의 주머니에는 쇼핑몰과 커피숍, 신발가게 매장에서 점원이 내준 영수증이 있다. 호텔 프런트에서 숙박료를 지불하면서 받은 영수증과 호텔 예약 확인증도 있다. 환전소에서 달러와 루피아를 교환했다고 사인한 영수증, 비행기 예약티켓과 보딩패스, 그리고 무제한 투어리스트 패스, 원데이 패스, 노면전차표라든가 전자항공권 등. 이 사물들이 바로 기억을 사실에 맞게 교정할 것이다.

빨래방 가격표와 비닐팩을 가방에서 꺼내니 진한 표백제 냄새와 향신료 냄새가 난다. 냄새는 마법처럼 기억을 또렷이 상기시키는 힘이 있다. '신'은 영수증을 "모든 일상의 기록"이자 "여행자의 거울"이라고 정의한다. "그것은 사람의 기억보다 정확하다. 거짓이 허용되지 않는 진실이다. 몇 가지의 숫자와 글자는 단순하지만 가장 적확한 사실이다. 현실은 환상이나 이상이 아닌 지독한 일상이어야 동의할 수 있다."(85쪽)

영수증과 티켓이 여행자의 기억을 사후에 교정해주는 사물이라면, 사전에 여행자의 신원을 확인시키고, 권리를 부여하는 사물은 바로 '여권(旅券)'이다. 우선 여권 없이는 입국과 출국이 불가능하다. 국경을 넘어 "이국의 다른 섬에서 휴가를 보낼 수 있게 하고, 다른 도시의 골목에서 와인이나 에스프레소를 마실 수 있는 자유와 권리를 부여"(86쪽)하는 여권은 인격(人格)을 대변한다.

그렇지만, 아이러니하게도 오늘날의 여권은 "국가와 대륙의 카테고리를 나누고, 다시 개별 국가의 서열을 차등하여 합법적인 차별과 편견을 가능하게 하도록" 강요하고 있다는 사실 역시 작가는 빼놓지 않고 지적한다. 그는 여행자들이 상상을 맘껏 품어 세상의 이편과 저편으로 한껏 이동하는 권리를 원한다. "여행이라는 삶을 살아가는 인간의 선한 욕망"(95쪽)을 세상이 외면하지 않기를 바라는 것이다.

『비행소년』에는 사람들 못지않게 '사물들'의 목록이 가득하다. 그 '사물들'의 쓰임새와 내력이 작가의 통찰에 힘입어 흥미진진하게 표현된다. 사물의 관점에서 이 작품을 음미하면 또 다른 맛이 느껴진다.

*

앞에서, 여행의 가능성이 상당히 위축된 요즘에 대하여

작가는 어떤 심정일지 궁금하다고 했다. 그런데, 작가는 이미 대답을 책에 남겨놓았다.

책의 뒷부분에서 작가는 '한 달 살아보기' 유행을 지적하면서, 어딘가에서의 한 달은 그곳을 다 보았다고 말하기에는 한참 부족할 뿐만 아니라 그곳을 터전 삼아 살아가는 사람들에 대한 기만이라고 비판한다. 또 자신이 여행에서 사진을 남기지 않는 까닭을 이야기하면서 "나는 짧은 여행이지만 막연히 그들 사회의 일부가 되고 싶었다."(25쪽)고 말한다.

작가에 따르면, 여행은 어느 곳을 찾아 다른 공기를 마시며 이국적 음식과 풍광과 풍속에 취하는 따위의 일시적인 욕망을 실현하는 게 아닌 셈이다. 여행은 나와 다른 뿌리를 가진 이들과 함께 살 수 있는가를 실천하는 행동이다. 여행은 타인과 더불어 사는 삶이며, 관계 그 자체다. 장소의 이동은 타인을 만나러 가는 행위일 뿐, 그 이상은 아니다.

그러므로 작가는 "여행의 일상에서 경험하고자 하는 모든 것이 소중하다. 여행은 다른 이에게 호기롭게 자랑할 만한 것이 되지 못한다. 각자의 여행에는 모두의 어머니가 다른 것처럼 다양한 이야기가 있기 때문"(135쪽)이라고 말한다.

　그러니 코로나 시국이라 해서 그 심정이 막막할 일은 없다. 오히려 지금은 더욱 타인들을 근심하고 보다 섬세하게 살필 기회다. 신정근×Dg. Tarru의 소설 『비행소년』은 이 새로운 국면의 여행에 있어 다정다감한 벗이 될 것이다.

봄은 은은하고 따스한 바람을 몰고 온다. 봄바람은 언제 맞아도 사랑하는 여인의 곱고 가녀린 머릿결처럼 보드랍다. 살랑살랑 꼬리 치는 앞마당 강아지 마냥 봄은 청년과 장년 할 것 없이 새로운 기대와 설렘을 가지고 온다. 그리고 그것은 점점 커지는 솜사탕처럼 연약하지만 달콤한 이상을 만든다. 사람들은 봄바람이 콧속을 파고들 때쯤 배낭을 메고, 운동화끈을 질끈 동여매고 어딘가로 여행을 떠난다. 다리가 후들거려 떠나고 싶어도 떠날 수 없는 때가 누구에게나 올 테지만 우리에게 당면한 지금은 아니라는 듯 호기롭게 집을 나선다. 가슴이 떨리는 대로 행동할 수 있는 삶은 얼마나 자유로운지 정작 스스로는 깨우치지 못하면서 말이다.

꽃샘추위가 조금은 잦아들 무렵, 나는 지하철을 타고 공항으로 갔다. 주전부리로 약과도 좀 사서 주머니에 넣고, 며칠 전 환전한 돈과 적당한 크기의 백팩을 들고 길을 나

섰다. 무엇을 위해, 어떤 여행을 하고자 하는지 알지 못하는 사람처럼 공항으로 향하는 사람들을 따라 그렇게 발을 옮겼다. 공항선 철도에는 커다란 배낭과 캐리어를 끌고 몸을 맡긴 사람들이 절반이 넘었다. 나도 그중 하나였으며, 공항으로 향하는 우리들의 이유가 저마다 다를지는 몰라도 가슴에 품은 아련한 기대와 풋풋함이 구름보다 높은 하늘 위를 지나갈 것임을 확신했다.

나와 반대편에 앉은 어느 중년 남성은 잘 빗어넘긴 은회색 머리카락에 몸에 딱 붙는 양복을 한껏 차려입고 공항으로 가고 있었다. 그는 아마 외국에서 열리는 중요한 회의나 학회에 참석하기 위해 하늘을 날 준비를 하는지도 모른다. 다음 역에서 제법 키가 큰 남녀가 각자의 커다란 캐리어와 함께 공항전철에 올랐다. 그들은 서로를 사랑스럽게 바라보며 어떤 말을 주고받았지만 같은 공간에서 다른 사람은 들을 수 없는 사랑의 밀어를 나누고 있는 듯했다. 실제로 제법 가까이 있었던 나는 두 남녀의 입꼬리가 희미하게 올라가며 입가에 미소가 퍼지는 것을 보아 서로를 향한 신뢰의 언어임을 짐작만 할 뿐이었다. 대각선에 자리 잡은 여성은 아마도 한국에서의 여행을 마치고 돌아가는 일본인이나 홍콩사람처럼 보였다. 서울에 사는 도시인이라면 누구나 좋아하고 어딜 가나 들고 다니는 아메리카노 커피를 테이크아웃하여 전철에 오른 그녀는 커피도 마시랴, 스마트폰으로 검색도 하랴 바쁜 눈과 손으로 자투리 시간을 잘 쓰고 있었다. 또 어떤 이들은 공항 근처의 역에서 내리기도 하였는데 그들은 아마 공항 가까이에 살고 있는 거주민인 것 같았다. 봄날의 여행은 어떤 이유건 간에 나라 안에서든, 밖에서든 조금은 충동적으로, 한편으론 분명한 목적과 계획 아래서 사람들의 마음에 두근거리는 작은 자유의 씨앗을 뿌려주는 계절이다.

그러니, 봄이 오면 여행을 가자. 사랑하는 연인의 뒷주머니에 손을 넣고, 연로하신 부모님의 발이 되어 떠나자. 여름 피서도 좋고, 가을에 쏟아지는 낙엽소풍도 좋다. 겨울 꽃 몰아치는 설악산으로의 산행도 좋지만 그래도 나는 시큼한 겨울바람 아직 남아 있는 봄의 시작에 여행을 떠나고 싶다. 마음 맞는 친구와 함께 가는 길은 조금 더 흐트러지기 쉬워서 좋다. 그래야 힘든 여행일지라도 실실실 봄바람 잔뜩 든 허파에 웃음꽃이 환하게 피어나기 쉬울 테니까.

경驚.기記.문文.학學 34

비행소년

신정근×Dg. Tarru 소설집

초판 1쇄 발행 2020년 9월 15일

지은이	신정근
펴낸이	김태형
펴낸곳	청색종이
등록	2015년 4월 23일 제374-2015-000043호
주소	서울시 영등포구 문래동2가 14-15
전화	010-4327-3810
팩스	02-6280-5813
이메일	theotherk@gmail.com

ⓒ 신정근, 2020

ISBN 979-11-89176-34-1   03810

값 6,800원